T4-ALB-397

Vík

DU MÊME AUTEUR

Snjór
Éditions de La Martinière, 2016
Points, 2017

Mörk
Éditions de La Martinière, 2017
Points, 2018

Nátt
Éditions de La Martinière, 2018
Points, 2019

Sótt
Éditions de La Martinière, 2018
Points, 2019

RAGNAR

JÓNASSON

Vík

Traduit de la version anglaise, d'après l'islandais,
par Ombeline Marchon

**Éditions
de La Martinière**

Ce roman a été traduit depuis l'édition anglaise du livre
à la demande de l'auteur qui a revu et changé des éléments
de son histoire, et considère donc le texte anglais
comme la version définitive de son roman.

Titre original : *Andköf*

Publié avec l'aimable autorisation de la Copenhagen Literary Agency
A/S, Copenhagen

Traduction depuis l'édition anglaise, revue et corrigée par l'auteur :

L'éditeur remercie Ólafur Valsson pour son aimable autorisation
pour la reproduction de la carte de l'Islande.

ISBN 978-2-7324-8837-0

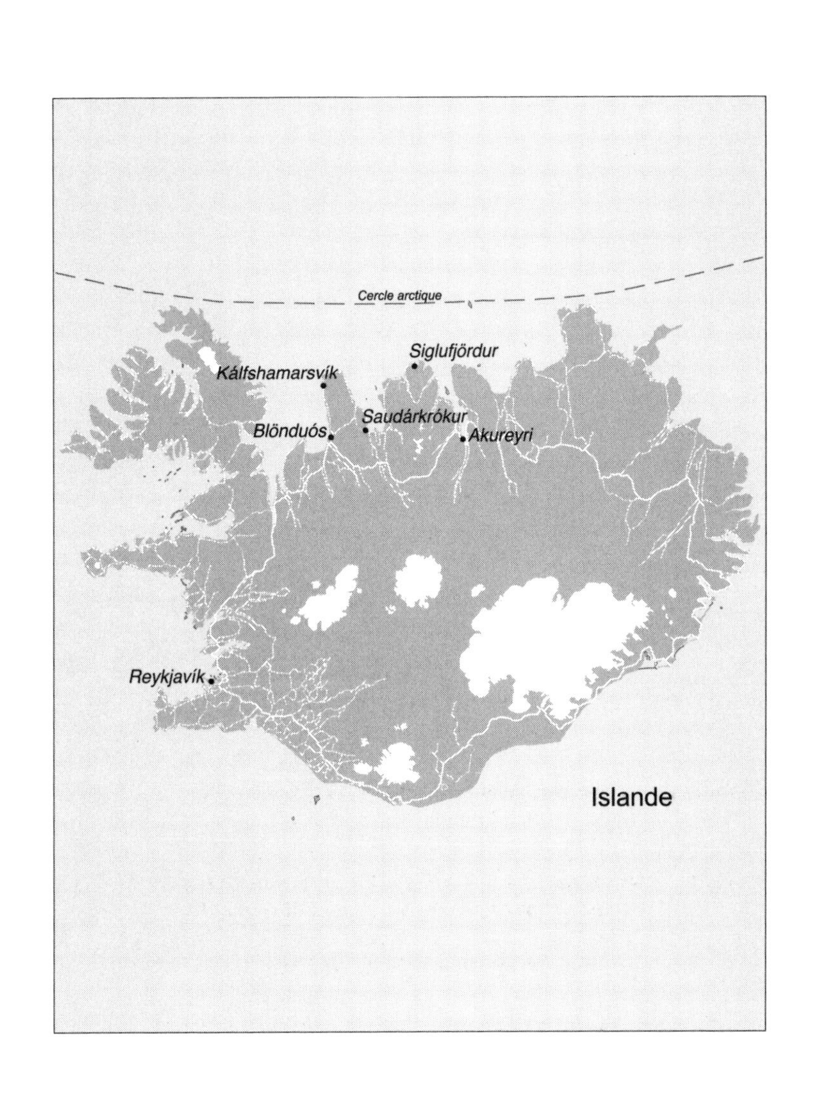
Cercle arctique
Siglufjördur
Kálfshamarsvík
Saudárkrókur
Blönduós
Akureyri
Reykjavík
Islande

Pour mon frère, Tómas

« Viens dans mon jardin fleuri, sombre nuit !
Que ferais-je de ta rosée ?
Toutes mes fleurs sont fanées… »
Extrait de Haust, *de Jóhann Jónsson*
(1896-1932)

Guide de prononciation

Ari Thór – Ari Sor
Arnór – Arnor
Ásta – Ôsta
Blönduós – Blonnduôs
Hédinsfjördur
– Hiétinsfieurzeur
Herjólfur Herjólfsson –
Heryolfour Heryolfsonn
Kálfshamarsvík – Kôlzamarsvik
Kristín – Kristine
Óskar – Oscar
Reykjavík – Reykiavik
Siglufjördur – Sigloufieurzeur
Skagaströnd – Skagastreund
Thóra – Sora
Tómas – Tomass

L'islandais possède deux lettres qui n'existent dans aucun autre alphabet européen et qui ne connaissent pas vraiment d'équivalent. Dans une traduction, on remplacera le plus souvent la lettre ð par un *d*, comme dans Gudmundur, Gudfinna, Hédinn et dans les noms d'agglomérations se terminant par – fjördur. En fait, cette lettre ressemble davantage au *th* anglais « dur », comme dans les mots « *th*us » et « ba*th*e ».

La lettre islandaise þ sera pour sa part retranscrite par les lettres *th*, comme dans Ari *Th*ór, et correspond au *th* anglais « doux » que l'on retrouve dans les mots « *th*ing » et « *th*ump ».

La lettre *r* est généralement roulée, la langue collée au palais.

En islandais, l'accent tonique porte sur la première syllabe.

Prologue

La petite fille leva les mains devant elle, puis tout se passa très vite : la gravité l'emporta et elle tomba. Elle n'eut même pas le temps de pousser un cri.

Pour l'accueillir, la mer et les rochers.

Elle était trop jeune pour sentir la mort approcher.

La pointe, la plage, le phare, le paysage – c'était son terrain de jeu.

Jusqu'à ce qu'elle heurte la pierre.

Première Partie

Prélude à la mort

C'est une image qu'Ásta Káradóttir n'oublierait jamais, même si elle n'était qu'une enfant à l'époque – ou peut-être pour cette raison précise.

Elle se trouvait dans sa chambre, au grenier, quand c'est arrivé. Porte et fenêtres closes, la pièce sentait le renfermé. Assise sur son lit dont les ressorts grinçaient quand elle se retournait la nuit, elle regardait par la fenêtre. Il était possible, et même probable, que des détails empruntés à d'autres moments de son enfance se soient mêlés au souvenir qu'elle gardait de cette journée bien particulière. Dans tous les cas, jamais elle n'oublierait le terrible événement auquel elle avait assisté.

Elle n'en avait jamais parlé à personne.

Et voilà qu'elle revenait, après des années d'exil.

En ce mois de décembre, la fine couche de neige qui recouvrait le paysage témoignait de l'approche de Noël. Les températures restaient cependant clémentes. Elle avait fait le trajet en voiture depuis le Sud sous la bruine. Le chauffage, activé pour désembuer le pare-brise, avait transformé la voiture en fournaise.

Ásta n'avait pas eu de problème à quitter le centre de Reykjavík : elle avait suivi l'Ártúnsbrekka. Elle n'était pas fâchée de partir d'une ville dont on pouvait dire, comme d'un mauvais amant, que c'était toujours mieux que rien, mais à peine. Elle n'allait pas changer radicalement de vie, non, juste dire adieu à son existence monotone et à son triste soixante-quatre mètres carrés en sous-sol, où elle étouffait. Parfois elle ouvrait les rideaux pour faire entrer un peu de lumière, mais alors les passants de cette rue très fréquentée pouvaient la regarder de haut et espionner ses allées et venues. Elle faisait une croix sur son intimité…

De temps à autre, quand elle était d'humeur, elle ramenait des types chez elle le week-end. Certains tenaient à faire l'amour les rideaux ouverts et la lumière allumée, à la vue de tous.

À trente ans passés, elle sentait encore en elle la force de la jeunesse, mais elle était fatiguée de l'assommante routine des emplois temporaires et du travail de nuit, du SMIC et des pourboires qui lui permettaient à peine de joindre les deux bouts, et de cet appartement qu'elle louait en centre-ville.

Elle avait donc traversé l'ouest de l'Islande en passant par le col de la montagne pour rejoindre Kálfshamarsvík, dans la péninsule de Skagi, tout au nord. Elle qui n'avait jamais songé à revenir, elle était finalement de retour avec ses lourds secrets. Après une journée entière passée sur la route, il faisait nuit noire quand elle rejoignit la baie. Elle resta un moment à contempler la maison, une belle bâtisse à deux étages avec sous-sol et grenier. Érigée quelques dizaines d'années auparavant, elle semblait encore plus ancienne à cause de son architecture. Ses murs, d'un blanc étincelant sur une base gris foncé, portaient à l'étage deux balcons en encorbellement. Ásta, sa sœur et leurs parents avaient longtemps occupé le grenier. On avait vu les choses en grand.

En plus de l'éclairage extérieur, la seule lumière visible provenait de la pièce qui servait autrefois de salon – sans compter, bien sûr, le phare campé sur la pointe rocheuse. La nuit, ces points lumineux gagnaient en intensité et s'orchestraient en une gracieuse chorégraphie. Ce splendide espace naturel héritait d'une riche histoire, dont témoignaient à chaque pas les vestiges de maisons aujourd'hui disparues.

Ásta se dirigea vers la bâtisse d'un pas tranquille, le nez au vent, les yeux levés vers le ciel et le visage exposé à la caresse des flocons de neige.

Elle hésita quelques secondes avant de frapper à la porte.

Était-ce vraiment une bonne idée ?

Un souffle glacé la fit frissonner. Troublée par le rugissement du vent, elle sentait comme une présence à ses côtés. Elle regarda autour d'elle pour s'assurer que personne ne rôdait. Mais ses yeux ne rencontrèrent que l'obscurité. Les traces dans la neige provenaient de ses propres pas.

Il était désormais trop tard pour faire demi-tour.

2

– Il n'aurait pas aimé que tu reviennes ici, dit Thóra.

Elle semblait se parler à elle-même, mais c'était la deuxième ou troisième fois qu'elle faisait la remarque.

Désormais âgée d'une soixantaine d'années, Thóra n'avait pas tellement changé en vingt-cinq ans. Elle arborait le même visage inexpressif au regard impassible, et parlait toujours d'une voix péniblement autoritaire.

À l'autre bout du salon, Óskar, le frère aîné, s'obstinait à jouer le même air au piano. Il n'avait jamais été très bavard. Son café à peine avalé, il s'esquivait systématiquement pour retourner jouer de la musique.

Thóra faisait de son mieux pour mettre Ásta à l'aise. Elles avaient évoqué ensemble les souvenirs du passé, bien peu nombreux vu leur grande différence d'âge. La première fois qu'elles s'étaient rencontrées, Ásta avait sept ans et Thóra, la quarantaine. Comme elles se rappelaient toutes deux le père d'Ásta, la conversation s'orienta tout naturellement vers lui.

– Ça ne lui aurait pas plu, répéta Thóra.

Ásta acquiesça poliment et sourit.

– Inutile d'épiloguer là-dessus, conclut-elle. Il est mort et Reynir m'a proposé de m'installer ici.

Elle s'abstint de préciser que l'idée ne venait pas de Reynir – c'est elle qui avait appelé pour demander la permission de passer quelques jours chez eux.

– Dans ce cas, je n'ai pas le choix, répondit Thóra.

Óskar égrenait toujours les mêmes notes au piano, comblant avec bonheur les silences gênés qui ponctuaient la conversation.

– Reynir habite ici toute l'année ? demanda Ásta, qui connaissait déjà la réponse.

Unique héritier d'un homme d'affaires fortuné, Reynir Ákason attirait l'attention des médias depuis des années. Ásta avait lu plusieurs interviews où il déclarait qu'en Islande, il ne pouvait envisager de vivre ailleurs qu'à la campagne.

– Plus ou moins, répondit Thóra. Mais ça risque de changer, maintenant que son père nous a quittés. Tu as dû voir ça dans la presse – son papa est décédé il y a quinze jours à peu près.

Elle baissa d'un ton, sans doute en signe de respect pour le défunt, mais ses manières paraissaient affectées.

– Óskar et moi avions pour projet de partir dans le Sud assister aux funérailles, mais Reynir nous en a dissuadés. De toute façon, la cathédrale de Reykjavík n'est pas bien grande. Et nous le connaissions peu – il ne restait jamais longtemps à la maison. Le père et le fils n'avaient pas grand-chose en commun, à vrai dire.

Elle marqua une pause avant de poursuivre.

– Ça ne doit pas être facile pour Reynir de reprendre l'activité de son père, avec ces investissements dans tous les sens. Je ne sais pas comment il arrive à s'en sortir. Cela dit, c'est un garçon très intelligent.

Un garçon. La dernière fois qu'Ásta l'avait vu, il devait avoir dans les vingt ans : un vrai adulte, pour une petite fille de sept ans. Intelligent, sans aucun doute, plein d'expérience et d'ambition. Amoureux de la mer, c'était un navigateur enthousiaste, tout comme Ásta.

– Un garçon, répéta Ásta à voix haute. Il a quel âge, maintenant ?

– Il doit approcher de la cinquantaine. Mais il reste discret sur son âge, dit Thóra avec un demi-sourire.

– Et il dort toujours au sous-sol ?

La question, lancée innocemment, jeta un froid. Thóra, figée, resta un moment sans parler. Par chance, Óskar continuait de jouer. Ásta jeta un coup d'œil vers lui. Penché au-dessus du clavier, il leur tournait le dos. Tout, dans son allure, trahissait la fatigue. Il avait revêtu un pantalon de velours côtelé marron hors d'âge et son éternel col roulé bleu marine – des habits qui semblaient avoir été portés depuis des années, par lui ou par un autre.

– On s'est installés en bas, Óskar et moi, répondit Thóra d'un ton qu'elle voulait désinvolte.

– Óskar et toi ? s'étonna Ásta. Vous n'y êtes pas trop à l'étroit ?

– Ça nous change, mais c'est la vie. Reynir va s'installer ici. Il est chez lui, après tout…

Elle marqua une pause. Contre toute attente, Óskar prit la parole :

– On s'estime déjà heureux de pouvoir rester ! On l'adore tellement, ce cap.

Il se tourna vers Ásta et planta ses yeux dans les siens. Il avait les mains noueuses et le visage en lame de couteau. Son regard était sincère.

– Comme tu m'as amenée dans le salon, je pensais que vous dormiez toujours au rez-de-chaussée, se justifia Ásta, que la situation amusait plutôt.

– Non. On utilise cet étage quand on dîne ensemble tous les trois, ou quand on reçoit des invités. Le salon du sous-sol est moins adapté, il y fait plus sombre, expliqua Thóra.

– J'imagine, répondit Ásta, dont l'appartement était toute la journée plongé dans l'obscurité.

– Mais j'ai fait de mon mieux pour l'aménager, dit Thóra comme pour s'excuser.

Óskar avait repris sa ritournelle au piano.

Ásta balaya la pièce du regard. Même si le salon lui paraissait plus petit que dans ses souvenirs, il n'avait pas tellement changé. Les meubles étaient apparemment restés à leur place : le vieux canapé de style Tudor, la table basse en bois sombre, les lourdes étagères garnies de littérature islandaise… Elle reconnaissait l'odeur de la pièce, ce parfum à la fois familier et insaisissable qui imprégnait la maison. Étonnant de voir à quel point les odeurs peuvent rappeler des souvenirs longtemps enfouis… Comparé à ces meubles élégants, son propre appartement parut à Ásta encore plus triste, avec son mobilier bon marché, son canapé déchiré, sa table basse d'occasion dénichée sur Internet et ses chaises de cuisine d'un jaune totalement démodé.

– Tu t'installeras dans le grenier, bien sûr, annonça Thóra.

– Vraiment ? s'étonna Ásta.

Au téléphone, Reynir ne lui avait pas précisé où elle dormirait.

– Sauf si tu y vois un inconvénient, auquel cas on peut te mettre ailleurs... proposa Thóra, imperturbable. Reynir pensait que ça te ferait plaisir. On y avait entreposé des affaires ces dernières années, mais on a tout déménagé dans la chambre... la chambre qu'occupait ta sœur, ajouta-t-elle en baissant les yeux.

– Aucun problème. Tout va bien, assura Ásta.

Jamais elle n'aurait imaginé devoir retrouver sa chambre de petite fille. Elle aurait préféré dormir ailleurs, mais n'osait pas le demander. Il fallait se montrer courageuse.

– Ne te méprends pas, ma fille, dit Thóra avec une gentillesse inattendue. Je te l'ai dit, à mon avis, ton père n'aurait pas aimé que tu reviennes. Mais pour nous, tu es toujours la bienvenue.

Cette maison ne vous appartient pas... mais merci, eut envie de répondre Ásta. Elle s'efforça de rester courtoise.

– Alors, où en êtes-vous ? demanda-t-elle.

– On s'occupe toujours de la maison. Il n'y a pas autant de travail qu'avant, mais on n'a pas le même âge non plus. Óskar sert toujours de gardien. N'est-ce pas, Óskar ?

Il se leva pour les rejoindre, appuyé sur sa canne.

– On peut dire ça, marmonna-t-il.

– Comme tu peux le constater, il ne peut plus effectuer de travaux de force, dit Thóra, les yeux fixés sur sa canne. Il s'est cassé le genou en escaladant ces satanés rochers.

Óskar s'assit à côté d'elle, un peu à l'écart.

– Je vais bien finir par me remettre, maugréa-t-il.

Ásta ne faisait plus vraiment attention à la conversation : elle les observait tous les deux, le frère et la sœur. Le temps avait fait son œuvre – elle ne s'attendait pas à les voir aussi usés. Ils semblaient tous les deux à bout de forces.

– Il s'occupe aussi du phare, malgré son genou. Il a pris le relais de ton père.

Ásta se sentit brusquement prise de malaise. Ce n'était pas la première fois. Elle inspira profondément et ferma les yeux pour retrouver son souffle.

– Fatiguée, peut-être ? demanda Thóra.

La question prit Ásta au dépourvu.

– Du tout, répondit-elle.

– Tu veux que je te prépare un dîner ? Je fais la cuisine pour Reynir, quand il reste dormir. Bien sûr, il peut se débrouiller, mais je fais l'effort pour lui. Il n'a plus besoin de nous aujourd'hui, il pourrait très bien nous renvoyer s'il le voulait. Apparemment, ce n'est pas le cas... conclut-elle avec un sourire.

Ásta avait repris ses esprits.

– Merci, dit-elle, mais ça ira, j'ai mangé un sandwich sur la route.

On entendit frapper à la porte. Ásta sursauta. De son côté, le couple âgé ne réagit pas.

– Je croyais que Reynir n'arrivait que demain ? demanda Ásta.

– D'habitude, il ne toque pas, marmonna Óskar.

– C'est sans doute Arnór, dans ce cas, dit Thóra en se levant.

La main posée sur son genou abîmé, le regard flou, son frère avait l'air vaguement désolé de ne pas pouvoir bouger.

– Tu te souviens d'Arnór ? demanda-t-il à voix basse.

Ásta le gratifia d'un sourire chaleureux. Âgé d'à peine soixante-dix ans, il paraissait nettement plus vieux. Où était passée cette petite étincelle qui brillait dans ses yeux ?

Elle avait toujours aimé Óskar. Il s'était montré gentil avec elle, et quand il y avait du poisson au dîner, il ne manquait jamais de lui porter dans sa chambre des biscuits avec un verre de lait à l'heure du coucher. Malgré la mer toute proche, ou peut-être à cause d'elle, Ásta détestait le poisson – il lui donnait systématiquement la nausée. Óskar le savait.

– Merci, dit-elle à Óskar au lieu de répondre « oui ».

Bien sûr qu'elle se souvenait d'Arnór.

– Merci ? répéta Óskar, surpris.

La main toujours posée sur son genou, il se penchait vers elle pour être sûr de bien entendre sa réponse.

Ásta se sentit rougir, ce qui n'arrivait pas souvent.

– Pardon. Je repensais à mon enfance… quand tu m'apportais du lait et des biscuits au lit. Oui, je me souviens d'Arnór…

Arnór habitait une ferme dans les environs. C'était le garçon d'Heidar, mais il n'avait sans doute plus rien d'un garçon désormais, même s'il avait dix ans de moins que Reynir. Elle se souvenait très bien de lui ; de quelques années son aîné, grand et grassouillet, il se montrait timide et maladroit. Les sœurs l'avaient beaucoup fréquenté, mais jamais pour jouer. Il trouvait sans doute ridicule de s'amuser avec des enfants plus jeunes, surtout des filles. À moins qu'il ne fût timide.

Óskar la regarda avec tendresse et elle crut déceler dans ses yeux la fameuse étincelle. Puis il baissa la tête.

– Tu n'as pas oublié... Je suis ravi de voir que tout va bien pour toi, ajouta-t-il.

Elle lui adressa un sourire poli. *Tout va bien* ? Vraiment ? Il ne s'imaginait pas à quel point elle se battait pour fuir la petite vie monotone qui l'attendait dans son appartement minable de Reykjavík et donner un sens à son existence. Elle passait des soirées entières à déprimer. Affalée sur le canapé en face de la fenêtre, elle laissait son regard se perdre dans la nuit. Les passants défilaient sous ses yeux – à l'image de sa vie, qui lui échappait. Elle crevait d'envie de s'enfuir, de casser une vitre et de sortir par la fenêtre, écorchée par les bouts de verre qui la grifferaient au passage. Elle se retrouverait peut-être en sang, mais au moins elle ressentirait quelque chose.

– Il habite toujours au même endroit ?

Ásta entendait Thóra parler avec le visiteur dans l'entrée.

– Oui. Il a repris l'activité à la mort de son père, il y a quelques années. Pauvre Heidar, il n'était plus tout jeune... Arnór s'occupe des chevaux de Reynir. Il nous aide bien, surtout pour le phare. Normalement, c'est moi le gardien, mais comme tu le vois, je ne suis plus en état de monter l'escalier... Un bon gars, vraiment, insista Óskar.

Thóra et Arnór entrèrent dans le salon. Ásta vit s'avancer un grand jeune homme au sourire lumineux, qu'elle n'aurait sans doute jamais reconnu si ses hôtes ne l'avaient pas annoncé. Il avait changé du tout au tout – mince et élégant, il n'avait plus rien du garçon maladroit de son enfance.

– Ásta, lança-t-il d'un ton assuré, comme s'ils s'étaient croisés la veille près du phare. Ça fait plaisir de te revoir !

Dans le temps, il restait discret et parlait d'une voix hésitante, tandis que les sœurs gambadaient sans relâche autour de lui. Il s'exprimait désormais avec facilité.

Elle s'avança vers lui pour lui serrer la main. Au lieu de quoi il l'enlaça avec tendresse. Émue par la chaleur de son geste, elle l'entoura à son tour de ses bras avant de s'écarter, un peu gênée. Elle leva vers lui des yeux embarrassés.

– Le plaisir est partagé, murmura-t-elle d'une voix mal assurée.

De son côté, il semblait parfaitement à l'aise. Il ne bougeait pas, tandis qu'elle se tortillait sans savoir où regarder.

Elle se demanda s'il fallait dire un mot sur son père et lui présenter ses condoléances, mais décida de s'abstenir. Comme elle ne connaissait ni la date, ni les circonstances du décès, ses propos n'auraient pas paru sincères. Son père à elle était mort lui aussi, entre-temps. Un décès compensant l'autre, elle décida qu'ils n'avaient pas besoin d'en parler.

Arnór se tourna vers Óskar.

– J'ai apporté mes outils, tu veux qu'on aille au phare réparer cette fenêtre ? Il vaudrait mieux ne pas tarder…

– Elle s'est cassée hier à cause des intempéries, précisa Óskar à l'attention d'Ásta. Je vais t'accompagner, même si je ne vois pas bien comment t'aider.

– Viens quand même. J'ai besoin que tu me dises quoi faire, dit poliment Arnór, par égard pour le vieil homme.

Il paraissait presque sincère.

Les deux hommes prirent congé d'Ásta et Thóra. Il régnait maintenant dans le salon un silence embarrassé.

– Je vais aller me coucher, je crois, finit par annoncer Ásta.

Elle attrapa sa valise.

– D'accord, dit Thóra. L'escalier qui mène au grenier…

Ásta l'interrompit.

– Je connais le chemin, dit-elle d'une voix sombre.

3

Elle alluma la lumière. L'ampoule peinait à éclairer l'escalier raide aux murs gris décorés de motifs arborés. De près, on pouvait distinguer quelques baies rouges sur les branches vertes. Le tapis était usé, la main courante en bois délavé. Un courant d'air surgi de nulle part la fit frissonner.

Elle savait la maison pleine de chambres inoccupées, qu'elle aurait pu investir à la place du grenier. Mais c'était sa chambre après tout, et elle n'avait pas la faiblesse de croire aux fantômes hérités du passé. Une fois dans le grenier, la porte fermée, elle se demanda pourtant si elle avait fait le bon choix. Et si elle était en train de commettre une erreur ? Elle avait le sentiment que cette histoire finirait mal. Ne serait-il pas plus sage de tourner le dos à son histoire et de rentrer chez elle ?

Il était encore temps. Elle pourrait très bien descendre l'escalier, dire au revoir à Thóra et lui expliquer qu'elle devait regagner Reykjavík à cause d'un imprévu. Elle n'avait pas besoin de se justifier auprès d'Óskar ou Arnór.

Elle hésita, puis jeta un coup d'œil alentour. À droite, deux portes ouvraient sur la chambre principale et la petite salle de bains. Derrière elle, le coin cuisine et… elle se retourna très lentement. La porte qui donnait sur la chambre de sa sœur était fermée. Elle fut d'abord tentée de l'ouvrir, mais se ravisa. Elle tourna enfin la poignée de son ancienne chambre.

La chambre du grenier s'avéra moins vaste que dans ses souvenirs. Nulle part elle ne pouvait se tenir debout sans heurter le plafond. La pièce sentait le renfermé, avec des relents de moisi. Elle se hâta d'allumer la lumière et d'ouvrir la fenêtre.

Voilà qui était mieux. Les vagues la berçaient désormais de leur refrain familier. Son regard s'aventura audehors jusqu'à la falaise. Par cette fenêtre, elle avait vu ce qu'elle n'aurait jamais dû voir. Curieusement, le souvenir n'en était pas si douloureux, alors qu'à l'époque cette scène l'avait bouleversée.

Malgré la lumière du phare, on n'y voyait pas grand-chose ce soir-là. L'obscurité ne l'emportait jamais sur la pointe, songea-t-elle avant de se rappeler que la maison entière n'était que ténèbres. Un sourire triste se dessina sur ses lèvres.

Il régnait un silence inquiétant. Thóra avait dû gagner sa chambre au sous-sol. La vieille femme avait sans doute eu du mal à déménager, mais Ásta ne ressentait pas pour autant de pitié à son égard.

Son lit occupait le même endroit qu'auparavant. Par chance, ce n'était pas un lit d'enfant. Elle s'y étendit tout habillée en laissant la lumière allumée. Le lit se mit à grincer, comme par le passé. Ásta se tortilla dans un concert de ressorts grippés.

Physiquement, elle était épuisée, mais ses pensées papillonnaient. Elle n'allait pas trouver le sommeil de sitôt. Elle se releva et se rappela l'escalier en colimaçon qui, du grenier, arrivait à une porte extérieure donnant sur le jardin. Elle rassembla son énergie pour en descendre les marches. Quand elle était petite, l'escalier lui paraissait interminable. Mais il n'était pas si long que cela, et elle se retrouva bientôt dehors sous la neige.

Elle s'éloigna de la maison pour plonger dans l'obscurité. Elle marchait à pas lents, non pas à cause de la neige mais sous le poids des souvenirs. Elle aspira une bouffée d'air glacé qui lui remémora ces nuits passées au grenier, quand les cris des mouettes et le grondement des vagues la tenaient éveillée. En réalité, le bruit de la mer n'était pas seulement une réminiscence, mais plutôt une présence incontournable qui cherchait maintenant à couvrir le rugissement du vent.

Retourner sur les traces du passé, n'était-ce pas tenter le destin ? Elle se posa à nouveau la question. Mais elle s'efforça de chasser son inquiétude et se mit en route vers le phare.

De nuit, il s'avérait difficile de suivre le chemin. Qu'importe ! Ásta aurait pu s'orienter les yeux fermés. Et elle n'avait jamais eu peur du noir. Pourtant, elle ne se sentait pas en confiance, comme si les fantômes du passé venaient l'entourer… la prévenir d'un danger. Elle avait passé tellement de temps au pied de ce haut bâtiment, à prendre le soleil sous sa face sud ou à frissonner dans l'ombre de sa face nord.

Elle aurait aimé pouvoir monter en haut du phare, mais Óskar et Arnór étaient en train de réparer la fenêtre et elle n'avait aucune envie de leur parler. Elle obliqua donc à gauche vers les rochers – des siècles d'intempéries, de vent et de mer avaient fait de ce passage escarpé un chaos de pierre.

Elle se retrouva très vite au bord de la falaise. Retenant son souffle, elle se pencha au-dessus du vide. Le vent lui fouettait le visage et la neige lui mordait la peau. En contrebas, sous la lumière du phare, la mer impitoyable. Elle sentit aussitôt la mort rôder.

Un coup de vent violent faillit l'entraîner dans l'abîme. Elle fit un pas en arrière. Pas question de mourir ici ! Elle n'avait pourtant pas peur. Au contraire, elle aimait sentir le sang battre dans ses veines. La présence de la mort l'avait soudain remplie d'énergie.

La mer avait toujours fasciné Ásta. Elle passait des heures à la contempler du haut de la falaise ou depuis la baie, assise sur la plage. Elle adorait pardessus tout le spectacle des vagues hautes et puissantes. Agitée, la mer en devenait blanche, et dans ses yeux de petite fille, le blanc avait fini par devenir la couleur de la colère. Par temps d'orage, face aux vagues, elle se sentait en communion avec l'océan. Elle se rappelait ces longs moments où elle regardait, fascinée, les mouettes se battre de toutes leurs forces contre le vent pour rester d'aplomb. Elle connaissait cette sensation.

Elle finit par faire demi-tour pour regagner la maison. Sur le chemin, en jetant un dernier coup d'œil au phare, elle vit qu'Arnór et Óskar en revenaient. Ils l'aperçurent eux aussi et Arnór lui adressa un signe de la main. Embarrassée, elle le salua à son tour avant de presser le pas.

De retour dans sa chambre, elle tira les rideaux, enfila un pull – il faisait vraiment froid – et se pelotonna sous la couette. Malgré la nuit noire, elle se tourna et se retourna dans son lit avant de finir par trouver le sommeil.

Ásta se réveilla tout à coup. Combien de temps avait-elle dormi ? Elle avait l'impression de ne plus pouvoir respirer. Les yeux grands ouverts, elle ne distinguait rien d'autre que l'obscurité. Prise de panique, le souffle court, elle se redressa d'un coup. Il faisait beaucoup trop chaud, l'air était lourd et suffocant.

Elle ôta son pull et sa chemise, repoussa la couette et resta un moment assise en sous-vêtements. Enfin, elle se leva pour écarter les rideaux et ouvrir la fenêtre. Une bise glacée s'engouffra brusquement et la lueur du phare vint inonder la pièce, chassant les ténèbres.

Elle se recoucha. Elle songea vaguement à regarder l'heure sur son portable, resté dans sa poche de jean. Mais à quoi bon ? Elle ferma les yeux, sa respiration s'apaisa et elle finit par se calmer. Elle n'avait plus trop l'habitude de dormir la fenêtre ouverte – impossible, quand on habitait au sous-sol – mais la fraîcheur de l'air suffit à la réconforter. Elle s'assoupit à nouveau et dormit d'un sommeil profond, épargnée par les souvenirs du passé.

4

La journée du lendemain lui sembla durer une éternité. Ásta fit la grasse matinée et prit son déjeuner avec Thóra et Óskar, dans un silence pesant. Reynir n'était toujours pas arrivé, et Arnór ne se manifestait pas. Elle fit une petite promenade l'après-midi avant d'aller chercher le repos au grenier, mais sans succès : ses pensées s'emballaient.

Elle sortit à nouveau vers dix-huit heures pour retourner au phare. Elle tenta d'en ouvrir la porte, mais celle-ci était fermée à clé, ce qui n'arrivait pas du temps où son père en assurait la garde. Il ne la verrouillait jamais – il savait que ses filles ne se mettraient pas en situation de danger. De ce fait, Ásta s'y glissait parfois quand elle ressentait l'envie de se cacher ou d'avoir un moment à elle. Le phare servait de refuge à la petite fille. Elle prenait garde à ne rien toucher. Elle se contentait de fermer la porte derrière elle avant de s'asseoir sur les marches pour réfléchir. Son père était sans doute au courant de ses escapades, mais il ne lui en avait jamais parlé.

Ásta croyait se souvenir qu'au moins une fois, si ce n'est plus souvent, il l'avait emmenée avec lui jusqu'à la pointe pour lui en expliquer les secrets. Elle ne s'intéressait pas trop à ce qu'il racontait, à l'époque, et pourtant ses mots lui revenaient aujourd'hui avec précision. Elle avait toujours trouvé ce phare majestueux, avec ses longues colonnes noires tranchant sur le blanc des murs. Vu d'en bas, il était d'une hauteur impressionnante. Elle recula de quelques pas, leva les yeux et fit glisser son regard sur la paroi jusqu'au ciel, peu à peu envahie par la sensation de n'être qu'une infime partie de l'univers.

– C'est fermé à clé, dit une voix derrière elle.

Elle sursauta.

Les joues rouges, Arnór approchait, emmitouflé dans une épaisse doudoune. Il ne portait pas de bonnet, alors que l'endroit recevait de plein fouet l'air de la mer. Il lui sembla encore plus beau que la veille.

– J'ai remarqué, répondit-elle sèchement. Autres temps, autres mœurs.

– Tout le monde n'a pas l'insouciance de ton père, rétorqua-t-il.

– Tu te souviens de lui ? demanda-t-elle, radoucie.

– Bien sûr. C'était un homme extraordinaire. Comment l'oublier ? Il est décédé il y a quelques années, non ?

À sa grande surprise, Arnór ne s'assit pas près de la porte, là où l'on avait vue sur la maison, mais sur l'étroite plateforme de béton qui entourait le phare, face à la baie.

Elle finit par s'installer à côté de lui, tout en gardant ses distances.

– Oui et non, dit-elle. Je n'avais même pas vingt ans quand il est mort, mais il nous a quittés bien avant, en réalité.

– Il était trop jeune pour mourir, dit Arnór d'un ton rêveur.

– Oui.

Un silence s'installa.

– Il a travaillé dur, reprit Arnór. Jusqu'à...

Il laissa sa phrase en suspens.

– Exactement, acquiesça Ásta.

Elle balaya du regard le paysage. Son père aimait le grand air, et il avait adoré vivre ici... au début.

– Dans le temps, je... reprit-elle avant de s'interrompre.

Elle prit une grande inspiration et remplit ses poumons d'air glacé.

– Dans le temps, je venais ici...

Elle n'eut pas la force de poursuivre.

– ... te cacher. Je sais. Je te regardais faire.

Elle sourit.

– Je trouvais ça curieux qu'une gamine de six ou sept ans vienne s'enfermer dans un vieux phare. Mais tu t'es toujours montrée distante et mystérieuse, même aujourd'hui, alors que je suis à côté de toi.

Ásta se leva d'un bond. Elle espéra que sa réaction spontanée ne le vexerait pas. Arnór ne bougea pas.

– Tu pourrais me prêter la clé du phare, s'il te plaît ? demanda-t-elle en le gratifiant d'un sourire pour se faire pardonner. Juste pour le week-end. J'aimerais bien y retourner.

– Pas de problème.

Arnór se mit debout à son tour, au pied de l'imposant phare.

– Je ne l'ai pas prise avec moi, elle est dans la voiture. Mais je te la donnerai plus tard.

– Merci.

– Je suis venu te chercher, en fait, annonça-t-il.
– Me chercher ? Pourquoi ?
– Reynir est arrivé. J'ai fait un tour au village avec lui. Je l'ai aidé à transporter l'énorme sapin de Noël qu'il a acheté à Skagaströnd. Comme il ne tenait pas dans son 4 × 4, j'ai pris la camionnette. Ces 4 × 4 de luxe sont trop étroits, et je pense qu'il n'avait aucune envie de salir sa belle voiture. Bref, il voudrait t'inviter à dîner. Il a demandé à Thóra de préparer quelque chose. Je peux te dire que ça sent bon dans la cuisine !
– Parfait. On y va ? répondit Ásta, tout sourire.

Un sapin aux branches odorantes reposait par terre, en plein milieu du salon.

Thóra salua les nouveaux venus et pressa Arnór de rester dîner avec eux alors qu'il s'apprêtait à partir.

– On a largement la place, avança-t-elle, et beaucoup trop à manger.

Arnór ne se fit pas prier : il accepta aussitôt l'invitation.

Reynir n'était pas encore arrivé qu'ils avaient déjà tous pris place à table.

Au moment de s'asseoir, Ásta sentit des mains se poser doucement sur ses épaules. Surprise, elle se leva d'un bond.

Après toutes ces années, elle fut décontenancée par le Reynir qu'elle avait sous les yeux. *Son attachée de presse faisait du bon travail*, pensa-t-elle. Sur les photos diffusées dans les journaux, cet homme d'affaires de premier plan paraissait plus jeune, plus mince et plus élégant. En réalité, il avait les cheveux ébouriffés, piqués de gris et commençait à se dégarnir.

Sa chemise rentrée dans son jean cachait mal un début de bedaine qu'il pouvait dissimuler à un objectif, mais dont il ne semblait guère se soucier à cet instant.

– Bonsoir, Ásta, lui lança-t-il chaleureusement. Ça fait plaisir de te revoir !

Il ôta les mains de ses épaules et lui en tendit une, qu'elle serra – geste curieusement solennel pour ce dîner informel. Il avait une poignée de main plutôt molle.

– Merci de m'accueillir, dit-elle à défaut de mieux.

Comme elle s'était invitée elle-même, elle ne pouvait guère le remercier pour l'invitation...

– Tu seras toujours la bienvenue, répondit-il. Tout va bien, tu n'as besoin de rien ? J'imagine qu'on t'a installée dans ton ancienne chambre...

– En effet. Ça me rappelle plein de souvenirs, ajouta-t-elle sans vraiment mesurer le poids de ses mots.

Il s'ensuivit un silence gêné, que Thóra brisa en annonçant le premier plat : un pudding de riz parfumé à la cannelle. Ásta n'en avait pas mangé depuis des années.

– C'est bientôt Noël, se justifia Thóra, comme si elle lisait dans ses pensées.

– Il fait un sacré froid aujourd'hui, improvisa Reynir une fois le plat servi. Et on ne peut pas y échapper, par ici.

Il adressa un sourire à Ásta avant de se tourner vers Óskar.

– Tu t'es baigné aujourd'hui, Óskar ?

Étonné qu'on lui adresse la parole, Óskar leva les yeux de son assiette. Il toussa et s'essuya les lèvres avant de répondre.

– Non, je ne me baigne pas, ces jours-ci, marmonna-t-il. Mais passons.

– « Passons » ? Comment ça ? s'enquit Reynir.

– Ça fait un moment que je n'ai pas trempé mes orteils dans l'eau.

– Dans la mer, tu veux dire ? demanda Ásta.

Un à un, les souvenirs refaisaient surface. Le vieil homme n'avait-il pas fait des choses un peu folles par le passé, comme nager dans la mer ? Cela lui revenait maintenant. À l'époque, personne n'aurait eu l'idée de s'immerger dans les eaux glacées de l'Islande – une pratique un peu moins rare de nos jours. On disait aujourd'hui que c'était revigorant et bon pour la santé, ce qui laissait Ásta franchement perplexe. Se baigner par climat tempéré, elle voulait bien, mais dans ce pays ?

– Dans la mer, bien sûr, maugréa Óskar. Mais ma jambe m'empêche de nager correctement. J'attends qu'elle soit réparée pour y retourner.

– Dis-moi Ásta, qu'est-ce qui t'amène ici ? demanda Arnór.

Son cœur s'accéléra. Mais elle avait préparé une réponse toute faite à cette question qu'elle redoutait – elle avait donné la même à Reynir au téléphone, quand elle l'avait appelé.

– Je travaille sur un projet.

– Vraiment ?

– Oui. Je suis des cours d'islandais à la fac, et je prépare une thèse sur mon père. Comme j'ai du mal à en venir à bout, je me suis dit que j'allais retourner dans le Nord pour m'y atteler.

– C'est les vacances de Noël en ce moment, non ? demanda Arnór.

Elle prit son temps pour répondre.

– Oui. J'ai jusqu'en janvier pour la rendre. Donc j'ai décidé de faire d'une pierre deux coups : finir ma thèse et m'échapper un peu de la ville.

Il y avait, dans le grand sourire qu'Arnór lui adressa, un petit quelque chose de bizarre qui mit Ásta mal à l'aise.

– Toi qui manies si bien la langue, Thóra, reprit Reynir d'un ton léger, peut-être que tu aurais dû aller à la fac, comme Ásta.

Thóra se raidit mais ne broncha pas. Pendant un moment, personne ne dit mot.

– J'aurais bien aimé, finit-elle par murmurer.

– C'est vrai ? dit Reynir.

– Thóra n'a pas pu finir ses études à l'université parce qu'elle est tombée malade, expliqua Óskar, apparemment soucieux de sauver la dignité de sa sœur.

– C'est de l'histoire ancienne, maintenant, lança-t-elle en faisant mine de se lever.

Reynir s'appuya contre son dossier et croisa les mains sur son ventre.

– Pas de chance. Tu te serais bien débrouillée. Tu nous serais revenue encore plus cultivée, avec plein de choses à nous apprendre.

– Certainement pas, asséna Thóra d'une voix calme.

– Comment ça ?

– Je ne serais pas revenue.

Elle se leva pour de bon.

– Je vais chercher le gigot, dit-elle alors qu'ils n'avaient même pas fini l'entrée.

Ásta reprit du pudding. Elle adorait ces plats traditionnels, ils lui manquaient. Elle-même n'était pas très douée en cuisine, et personne n'avait pris la peine de lui montrer comment procéder. Qui aurait pu le faire ? Elle avait perdu ses parents à l'âge de sept ans. Peut-être sa tante, qui s'était occupée d'elle par la suite ? « Occupée d'elle », façon de parler. Parce qu'elle avait le sens du devoir, elle lui avait offert un foyer, d'abord temporaire mais qui avait perduré. Sa tante s'était toujours montrée froide et distante, et n'avait jamais rien appris à Ásta, à part à se débrouiller toute seule. À la première occasion, Ásta avait déménagé.

Elle n'en voulait pas à sa tante, et encore moins à ses parents. Mais ils ne lui manquaient pas non plus. Elle ne ressentait pas grand-chose pour eux, en vérité, et ne regrettait même pas d'avoir eu si peu de chances d'avancer dans la vie.

Mais ce soir, elle avait décidé de prendre le taureau par les cornes. Pourquoi attendre plus longtemps ?

Thóra apporta le gigot et une bouteille de vin rouge. Elle mit un point d'honneur à préciser que celle-ci provenait de la cave personnelle de Reynir.

– C'est une bonne bouteille, annonça Reynir. À la hauteur de notre invitée.

Il adressa à Ásta un sourire hypocrite.

– C'est comment la vie à Reykjavík ? demanda poliment Arnór.

– Ça va, répondit-elle.

Thóra venait de remplir son verre de vin, et elle se demandait si c'était raisonnable.

– Le silence et le calme de la campagne ne te manquent pas ? ajouta Reynir.

Elle sourit. C'était une question facile.

– Pas du tout, dit-elle avant d'avaler une gorgée de vin.

5

Plus tard dans la soirée, Ásta reçut dans le grenier une visite inattendue. Passé le premier effet de surprise, elle s'en réjouit, puisqu'elle aurait de toute façon eu du mal à trouver le sommeil ; ses pensées n'avaient cessé de tourner dans sa tête et son cœur battait toujours à tout rompre.

Ásta et son invité restèrent un bon moment à discuter dans l'étroit passage qui menait à sa chambre. Les effluves de son après-rasage se faisaient de plus en plus intenses à mesure qu'il se rapprochait d'elle. Il finit par l'embrasser – d'abord poliment, presque avec froideur, puis de plus en plus passionnément. La main posée sur ses reins se fraya un chemin plus bas et il l'attira à lui. Le cœur d'Ásta battait la chamade et le vin lui tournait la tête.

Était-ce raisonnable ? Elle le connaissait à peine. Pourtant elle n'avait pas envie de le repousser – pas tout de suite. Elle se sentait en confiance avec ce fantôme surgi du passé. Il suscitait en elle une réaction fougueuse et irrépressible. Sans hésiter, il déboutonna son pantalon et y glissa les doigts. Elle fit de même avec lui.

Bientôt, ils recouvrirent le sol de leurs vêtements éparpillés. Il l'emmena dans la chambre. Mais quand ils se retrouvèrent tous les deux nus au pied du vieux lit, elle changea d'avis.

– On ne peut pas faire ça ici, murmura-t-elle en lui embrassant le lobe de l'oreille. Le lit tombe en ruines. Tu ne peux pas imaginer comme il grince.

– Dans ce cas, on s'en passera… dit-il.

Il la colla au mur. Le froid de la cloison transperça comme des milliers d'aiguilles son corps abandonné, mais la gêne fut de courte durée.

La douleur lui rappelait qu'elle était en vie. Quelle sensation vertigineuse !

Deuxième Partie

Mensonges

1

– Bonjour, mon garçon, dit Tómas de sa voix grave et chaleureuse, comme s'ils reprenaient une conversation tout juste abandonnée.

Cela faisait pourtant un bon moment qu'Ari Thór n'avait pas eu de nouvelles de son ancien patron. Un an et demi plus tôt, cet officier de police de Siglufjördur avait vendu sa maison, donné sa démission, et rejoint sa femme à Reykjavík, dans le sud du pays, pour sauver son mariage avant qu'il ne soit trop tard. Par chance, Tómas avait trouvé un poste intéressant à la brigade criminelle.

Maintenant qu'il avait repris les rênes de sa propre vie, Tómas avait encouragé Ari Thór à briguer la place d'inspecteur qu'il venait de libérer au commissariat de Siglufjördur, et appuyé sa candidature auprès de ses supérieurs. Ari Thór en était reconnaissant à son ancien collègue, mais il ne savait pas encore s'il voulait postuler en tant qu'inspecteur. Fallait-il en profiter pour déménager lui aussi à Reykjavík, ou parier sur une longue carrière à Siglufjördur ? Même après quelques années, il n'arrivait toujours pas à s'accommoder de cette vie à l'ombre des hautes montagnes, dans les ténèbres perpétuelles de ces hivers suffocants. Il y avait aussi la question de sa compagne Kristín, qui avait trouvé du travail à l'hôpital d'Akureyri, lequel était devenu facilement accessible par la route depuis l'ouverture du nouveau tunnel. Finalement, il avait accepté de postuler – c'est la décision qu'ils avaient prise ensemble. Accéder au titre d'inspecteur représentait une belle promotion vu son âge, même s'il n'aurait pas une grande équipe sous ses ordres – deux personnes au maximum.

Ari Thór avait donc posé sa candidature et croyait toutes les chances de son côté. Mais rien ne s'était passé comme prévu. Le poste avait été confié à un certain Herjólfur Herjólfsson. Herjólfur travaillait au sein de la police de Reykjavík depuis des années, au cours desquelles il n'avait pris qu'un seul congé exceptionnel. Ari Thór ne l'avait jamais interrogé à ce sujet, et Herjólfur ne s'en était jamais expliqué non plus. Quoi qu'il en soit, sa plus grande expérience, ses longues années de service et ses relations dans le Sud avaient suffi à faire pencher la balance. Ari Thór était tellement déçu qu'il avait songé à démissionner, mais Kristín l'avait encouragé à rester, à consolider son expérience et à ne pas quitter un emploi stable au moment où on supprimait des postes dans la police.

Assis à son bureau au commissariat de Siglufjördur, Ari Thór se demandait pour quelle raison Tómas l'appelait deux jours avant Noël.

– Bonjour, répondit-il à son ancien patron. Ça fait un bout de temps qu'on ne s'est pas parlé.

Il leva les yeux vers Herjólfur, qui n'avait même pas réagi à la sonnerie du téléphone.

– Tu aurais quelques minutes à m'accorder ? demanda Tómas, le ton soudain grave.

Apparemment, il appelait depuis une voiture.

– Oui… dit Ari Thór après un moment d'hésitation.

Estimant plus prudent de poursuivre la conversation au-dehors, il se leva et enfila sa veste. Il était tombé beaucoup de neige ces derniers jours – elle recouvrait désormais Siglufjördur d'un délicat manteau blanc. En saison, il était quasiment impossible d'échapper à la neige dans cette ville à deux pas du cercle polaire, la plus septentrionale d'Islande. Au plus profond de l'hiver, le soleil disparaissait derrière les montagnes. On avait pourtant évité les tempêtes de neige cette année, et comme les habitants accueillaient avec leur stoïcisme habituel les intempéries hivernales, le calme régnait sur la ville à la veille de Noël.

Impossible d'échapper aux festivités. Toutes les fenêtres étaient décorées, les maisons et les arbres recouverts de guirlandes lumineuses qui grimpaient jusqu'aux toits et aux lampadaires. Un sapin majestueux se dressait au milieu de Town Hall Square. Les habitants de Siglufjördur se préparaient tranquillement pour le jour de congé, instauré le 24 décembre en Islande, avec la messe de Noël dans la vieille église, le dîner en famille et l'ouverture des cadeaux, suivi de ce qu'Ari Thór considérait comme la tradition la plus importante ce soir-là : la lecture d'un livre jusque tard dans la nuit.

Debout sur le trottoir enneigé, Ari Thór écoutait parler Tómas tout en remplissant ses poumons de l'air glacé du Nord.

– J'ai fini par trouver une solution pour ta demande de transfert, annonça Tómas.

Sur les conseils de Tómas, Ari Thór avait demandé un transfert temporaire au commissariat de Reykjavík peu après la nomination de Herjólfur, même si cette mesure ne suffirait sans doute pas à le consoler de sa déception. Il avait pourtant hâte d'en savoir plus.

– J'étais persuadé que présenter ta candidature au poste d'inspecteur ne serait qu'une formalité... Et je me sens encore coupable que tu n'aies pas été nommé...

– C'est ridicule, asséna Ari Thór avec plus d'autorité qu'il ne se le permettait du temps où ils travaillaient ensemble. Tu n'es pas responsable de mon avenir.

– Quand bien même, reprit Tómas avant de se racler la gorge. On a une carte à jouer.

Il s'interrompit. Ari Thór entendait gronder le moteur de la voiture.

Il contempla au loin les montagnes enneigées qui donnaient à la ville un air de carte postale.

– On m'a signalé une mort violente non loin de Skagaströnd, à Kálfshamarsvík. Tu connais l'endroit ?

Ari Thór réfléchit.

– Pas plus que ça.

– Aucune importance. Garde ça pour toi. J'en ai un peu rajouté pour qu'ils te mettent sur le coup avec moi. J'ai raconté que tu connaissais très bien les lieux.

– Avec toi ?

Il était à la fois stupéfait, ravi et inquiet.

– À partir de quand ? demanda-t-il.

– De maintenant. Je suis sur la route. Ne t'inquiète pas, je vais en toucher deux mots à Herjólfur.

– Maintenant ? Mais c'est bientôt Noël ! ajouta Ari Thór sans réfléchir.

– Je sais. L'enquête risque de nous prendre deux ou trois jours, donc les fêtes de Noël vont devoir passer au second plan. C'est pour ça que j'ai eu du mal à trouver un collègue.

– Pourquoi ce n'est pas l'équipe d'Akureyri qui s'en charge ?

– Ils ont fait une importante saisie de drogue. Tous leurs hommes sont mobilisés pour l'enquête. J'aurais pu prendre un de mes gars, un célibataire, et l'emmener dans le Nord avec moi, mais on ne s'entend pas très bien. Alors je leur ai parlé de toi – un jeune flic avec une solide expérience, un sacré flair et qui, coup de bol, se trouve déjà sur place.

– Je ne suis même pas du comté de…

– Kálfshamarsvík, compléta Tómas.

– Voilà.

– Aucune importance. Ça a marché, on fait équipe !

Ari Thór le voyait d'ici sourire.

Une myriade de questions lui vinrent à l'esprit. *Du calme*, se dit-il. *Une seule chose à la fois.*

– Qui est la victime ?

– Une jeune femme, répondit Tómas, le ton grave à nouveau.

– Qu'est-ce que tu entends par mort violente ? Un accident ? Un suicide ?

Il connaissait déjà la réponse : dans ces cas-là, on n'aurait pas mobilisé l'équipe de Tómas.

– Au début, ils pensaient à un suicide, et l'hypothèse n'est pas encore écartée. Elle est morte le 20, mais la police locale a mis trois jours à nous appeler, ils étaient persuadés qu'elle avait mis fin à ses jours. Sauf que l'autopsie a révélé des marques sur son corps qui obligent à se poser des questions.

Laissant de côté les détails, il fit une pause avant de reprendre.

– Il y a quelque chose de sinistre dans cette affaire. Vraiment, reprit-il d'une voix plus sombre encore.

– Tu parles de ses blessures ? demanda Ari Thór pour l'encourager à en dire plus.

Une fois de plus, Tómas ne répondit pas tout de suite.

– Non. Plutôt des circonstances, de l'histoire autour de sa mort. Il est arrivé des choses terribles à la mère et aux deux filles.

– Comment ça ?

– Je te raconterai toute l'histoire quand on se verra.

– D'accord, mais il faut que je parle à Kristín avant de m'engager.

Quatre ans auparavant, il avait accepté le poste à Siglufjördur sans la consulter. À partir de ce moment-là, tout avait volé en éclats – ils s'étaient même séparés pendant un temps. Il ne tenait pas à faire la même erreur. Maintenant qu'ils étaient à nouveau ensemble, il ne voulait pas mettre leur relation en danger. Dès que possible, elle le rejoignait dans sa maison de Siglufjördur ou il allait dormir dans son petit appartement à Akureyri. Il n'avait aucune envie de changer ce mode de vie.

– C'est une occasion à ne pas rater, insista Tómas.

– Tu crois que je pourrai passer le réveillon à Siglufjördur ?

– Oui. Si le temps et les conditions le permettent. Mais je suis sûre qu'elle pourra se passer de toi.

Il avait repris son rôle de supérieur hiérarchique.

– Bien sûr. Sauf que je n'y tiens pas. Après tout ce qu'on a préparé, je n'ai pas envie de gâcher notre Noël.

Il se rendait bien compte que Tómas ne prendrait pas son excuse au sérieux et décida de lui dire la vérité, de dire à son vieil ami ce qui le préoccupait.

– En fait… Kristín est enceinte.

– Enceinte ? répéta Tómas, stupéfait. C'est génial ! Félicitations !

– Merci, murmura Ari Thór.

– Je ne m'en serais jamais douté.

Il avait l'air un peu vexé qu'Ari Thór ne lui ait pas annoncé la grande nouvelle.

– Ça fait longtemps qu'on ne s'est pas parlé, se justifia-t-il. J'ai pensé plusieurs fois à t'appeler, mais le temps a filé. La dernière fois qu'on s'est téléphoné, elle venait de tomber enceinte, il était trop tôt pour l'annoncer.

– Je comprends. Elle en est à combien ?

– Huit mois, annonça fièrement Ari Thór.

– Eh bien ! Ça ne va pas tarder, alors ! Il va bientôt naître un petit gars à Siglufjördur, dit joyeusement Tómas.

Ari Thór décida de ne pas faire de commentaire. Il est vrai qu'il se sentait plus chez lui à Siglufjördur, une ville tranquille, éloignée de tout et proche de la nature. Il se plaisait dans ce petit bourg. Et pourtant il n'avait aucune envie de se poser. À l'occasion, il se sentait même gagné par le désespoir.

– Tu comprends pourquoi je ne veux pas abandonner Kristín…

Il s'accorda un moment de réflexion.

– Et si elle venait avec moi ?

– Avec toi ? s'étonna Tómas. Pourquoi pas ? Si tu penses qu'elle ne s'ennuiera pas là-bas. On logera à

Blönduós. Vous prendrez la grande chambre. Vous pouvez me rejoindre ? Dès que possible ?

En raccrochant, Ari Thór sut qu'il allait avoir du mal à convaincre Kristín de passer la nuit, et peut-être même le réveillon, à Blönduós.

Ils avaient tellement hâte de passer ce premier Noël ensemble dans leur nouveau domicile. L'année d'avant, alors qu'ils venaient de se rabibocher, Kristín avait été d'astreinte la nuit du 24 décembre à l'hôpital d'Akureyri, donc Ari Thór s'était lui aussi porté volontaire pour assurer la permanence ce soir-là. On ne peut pas dire qu'ils avaient fêté Noël. Cette année, ils avaient décidé de se rattraper. Ils étaient allés choisir un sapin en forêt le week-end d'avant. Ils s'étaient longuement promenés dans les bois aux portes de la ville pour trouver le sapin le plus haut ou le plus beau, enivrés de l'odeur des résineux, du bonheur d'être tous les deux, et même de la morsure du froid sur leur visage. Une fois l'arbre abattu et déneigé, ils étaient rentrés chez eux en discutant sur le trajet du meilleur endroit où l'installer. Ari Thór se rendit compte que c'était la première fois qu'il achetait un sapin. C'était aussi la première fois depuis des lustres qu'il allait fêter dignement Noël au pied d'un arbre authentique. Ses parents achetaient toujours le modèle traditionnel, pas un arbre en plastique. Ils se fournissaient auprès du même vendeur, un commerçant sympathique qu'ils retrouvaient chaque année au même endroit. Puis ses parents décédèrent et il se retrouva tout seul. Il s'installa chez sa grand-mère paternelle jusqu'à sa mort. Elle se contentait d'un sapin en plastique, elle.

Il espérait vraiment que Kristín se montrerait compréhensive. Tómas avait raison – c'était une occasion à ne pas manquer. Mais comme sa grossesse l'épuisait physiquement et nerveusement, il était peu probable qu'elle accueille avec joie sa proposition.

Tandis qu'il réfléchissait à la meilleure manière d'aborder le sujet avec elle, il se rappela une autre conséquence de sa grossesse. Elle se posait déjà des questions sur l'éducation à donner au bébé, et s'était de ce fait intéressée à son enfance à lui, en particulier à son père. Elle lui avait demandé récemment s'il se souvenait bien de lui. Ari Thór aurait préféré éviter le sujet, mais il lui raconta quelques anecdotes pour lui faire plaisir, notamment la visite d'une aire de jeux quand il avait quatre ans. Il se rendit compte après coup que son père en avait alors vingt-huit, soit l'âge exact qu'Ari Thór avait aujourd'hui. Le temps se jouait de lui en rappelant à sa mémoire cette anecdote insignifiante, comme s'il s'agissait d'un événement extraordinaire.

Il avait beau jurer et l'insulter, ce temps de malheur ne cessait de lui filer entre les doigts. Il se demandait ce qu'il avait accompli en vingt-huit ans d'existence. Son père aurait-il été fier de lui ? Et sa mère ? Son père était décédé à l'âge de trente-sept ans. Ari Thór espérait vivre plus longtemps, mais il ne pouvait s'empêcher de penser que le destin en déciderait peut-être autrement. À l'âge qu'il avait aujourd'hui, il restait à son père moins de dix ans à vivre.

Mettait-il vraiment son temps à profit ?

2

Thóra se sourit à elle-même. Au sous-sol, la table était d'une propreté impeccable, mais elle ne put s'empêcher de la nettoyer à fond, comme si elle était crasseuse. Même épuisée, il lui fallait rester occupée. Pas question pour elle de rester assise à ne rien faire, à regarder par la fenêtre en pensant à cette fille qui avait trouvé la mort.

De toute façon, elle n'avait plus de fenêtre par laquelle regarder maintenant que Reynir les avait installés au sous-sol.

Ils ne s'étaient pas plaints. Ils l'avaient laissé faire.

Óskar ne se battait jamais. Quelle poule mouillée !

Elle s'y serait volontiers opposée, mais elle aimait trop Reynir pour oser l'affronter. Et pourtant il comprenait sans nul doute que c'était humiliant pour eux, de devoir passer leurs vieux jours en sous-sol après toutes ces années de service, même s'ils vivaient en effet dans la maison de Reynir, pas chez eux.

C'est un hasard s'ils avaient pu rester si longtemps au rez-de-chaussée. Les propriétaires s'étaient installés à l'étage. Au début, Óskar et elle occupaient le grenier, mais ils avaient dû déménager lorsque Kári, le père d'Ásta, était venu travailler en tant que gardien du phare, accompagné par Sæunn, sa femme, et ses deux petites filles. Le seul espace disponible restait l'appartement principal au rez-de-chaussée, qu'Óskar et Thóra avaient dès lors partagé avec le père de Reynir, lequel, adolescent, avait investi le sous-sol.

Comme le temps passait… Elle se sentait si fatiguée ces jours-ci, et cette satanée maladie n'arrangeait pas les choses. Elle s'efforçait de l'oublier mais n'y arrivait pas.

Pour couronner le tout, il ne restait aujourd'hui dans la maison plus rien de l'esprit de Noël. Il y régnait d'habitude une ambiance festive de fin d'année, on descendait du grenier les décorations, on jouait dans le salon des vieux cantiques de Noël gravés sur vinyle, on se régalait de chocolat et l'odeur des *laufabraud*, ces galettes traditionnelles islandaises, inondait toutes les pièces. La veille de Noël, nuit sacrée entre toutes, on partageait un délicieux dîner entre proches, dans le calme et la félicité.

Mais il en irait différemment cette année. Cette fille était morte, et la police de Reykjavík s'apprêtait à débarquer « pour un petit entretien », comme ils disaient.

Elle s'enfonça dans le canapé et tenta de retrouver son calme.

Au sous-sol, tout était prêt pour célébrer Noël. On avait déballé le sapin en plastique, disposé l'incontournable guirlande lumineuse et les vieilles boules décolorées héritées de sa mère. Comme chaque année, fidèle aux traditions, Óskar s'en était chargé. Ils se raccrochaient aux souvenirs du passé – la chaleur des Noëls de leur enfance, où tout se déroulait de manière parfaitement. À l'époque, elle se voyait promise à un bel avenir. C'était avant que tout n'aille de travers.

Óskar, de son côté, n'en demandait pas trop à la vie, lui semblait-il. Il se satisfaisait de peu et manquait d'ambition. Il ne se mettait jamais en colère, ou ne le montrait pas.

Frère et sœur, ils étaient pourtant très différents, à tel point qu'elle s'était parfois demandé s'ils partageaient bien le même père. Ils avaient deux ans d'écart – Óskar était né pendant la guerre et elle, juste après l'armistice.

On avait raconté à Thóra que son père, après avoir servi au sein de l'armée américaine durant les années de conflit, était parti aux États-Unis, laissant derrière lui une femme et deux enfants. Alors âgée d'un an, Thóra n'avait comme souvenirs de lui que des photographies. Vu qu'il s'était éclipsé peu après sa naissance, pourrait-il avoir été le père d'Óskar mais pas le sien ? Elle n'en avait jamais parlé avec son frère, et pourtant il avait dû se poser la question lui aussi, même s'il était gentil et confiant de nature.

Elle nourrissait plus d'ambitions que lui, et s'en trouva punie. Elle s'était révélée une brillante élève, récoltant de bonnes notes à tous ses examens, à tel point que des bienfaiteurs avaient offert de lui payer des études supérieures. Mais le sort en avait décidé autrement. Tout était allé de mal en pis, et elle avait fini par retourner à Kálfshamarsvík où elle croupissait depuis.

Croupir était le mot, on ne peut plus proche de la réalité. La vie, sournoise, les avait confinés sur cette pointe à Kálfshamarsvík.

Au début du XXe siècle, il s'y était développé un petit village, par la suite déserté dans les années 1940. Dix ans plus tard, un gentilhomme de Reykjavík décidait d'y construire une superbe demeure. Voilà où elle passait sa vie depuis presque soixante ans. *Soixante ans.* À l'exception d'un court répit.

La maison à peine construite, sa mère y avait été embauchée comme gouvernante. Toute sa vie, seule avec deux enfants à charge, elle avait vécu chichement de revenus misérables. À sa mort, elle n'avait laissé quasiment aucun héritage à Óskar et Thóra. Âgés d'une vingtaine d'années, ils avaient tous deux déjà commencé à travailler. Óskar s'occupait des chevaux d'Áki, le père de Reynir. Áki leur avait offert à tous deux des positions stables et ils avaient dit oui, Óskar parce qu'il n'avait pas d'idée précise sur ce qu'il voulait faire de sa vie, Thóra parce qu'elle avait échoué après avoir tenté de voler de ses propres ailes. Honteuse, elle avait décidé de rester cachée dans la maison.

Et puis un jour, il était devenu trop tard pour partir. Peut-être s'était-elle enracinée peu à peu ? Elle n'en avait même pas eu conscience. Avec les années, elle s'était mise à apprécier sa vie au calme – au moins les premiers temps.

L'arrivée de Kári et Sæunn avait changé la donne. Avec un peu de chance, la mort d'Ásta mettrait un point final à ce cercle infernal.

Elle eut un sourire amer. Elle n'était pas dupe. Les mensonges ne s'effacent pas, les péchés commis dans le passé ne disparaissent pas par magie. La culpabilité continuait de peser.

De toute évidence, Óskar avait toujours vécu plus heureux qu'elle, dans cette maison. Il adorait la mer, ces colonnes de rocher majestueuses – dangereuses, mais si belles à regarder – et le phare, bien sûr. Thóra ne pouvait nier que ces formations de basalte avaient quelque chose de fascinant, mais elle n'était pas une fille de la campagne. Elle aurait préféré habiter la ville, mais elle avait très tôt fait une croix sur cette option-là.

Óskar n'avait pas dit grand-chose en apprenant la mort d'Ásta, mais il n'avait jamais été du genre bavard. Ils s'étaient pourtant bien entendus jadis, malgré la différence d'âge – elle n'était qu'une enfant, il avait quarante ans. Les mauvaises langues prétendaient qu'il lui portait un intérêt… mettons… déplacé. Thóra refusait de prêter foi aux rumeurs, même si elle ne pouvait jurer de rien…

Elle l'avait toujours trouvé un peu bizarre. Par exemple, l'hiver passé, il avait pris l'habitude de s'enfermer tous les jours à la même heure dans sa chambre, qui lui servait aussi de bureau. Il s'y trouvait une télévision, une radio, une petite bibliothèque et un secrétaire. De nos jours, les gens installaient leur télévision dans le salon, mais Thóra n'y tenait pas. Depuis toujours, le salon était réservé aux invités, et cela durerait aussi longtemps que Thóra aurait son mot à dire.

Thóra ne comprenait pas pourquoi Óskar avait décidé de s'isoler à la même heure tous les jours. À travers l'épaisseur de la porte, elle l'entendait murmurer et se demandait ce qu'il pouvait bien fabriquer – elle s'en inquiétait.

Elle ne voulait pas lui en parler. Comme dans un vieux couple, chacun respectait l'intimité de l'autre.

Elle n'avait jamais eu l'occasion de construire une famille. Si ses études ne s'étaient pas si mal terminées, elle aurait pu s'épanouir en tant qu'épouse et mère. Tout cela, c'était la faute de cette ordure. Il était mort depuis longtemps, le salopard, mais elle avait gardé les avis de décès parus dans les quotidiens pour attiser sa haine.

Elle devrait peut-être lui pardonner, après toutes ces années – mais elle avait du mal.

3

– Ça peut arriver à tout le monde d'assurer une permanence le soir de Noël, surtout dans nos métiers, dit Kristín d'un ton conciliant.

Ari Thór s'attendait à la réaction opposée. Ni récrimination, ni déception avouée : peut-être ne connaissait-il pas Kristín aussi bien qu'il le croyait, finalement. Il avait néanmoins pris le soin de lui présenter le projet comme une proposition, et non comme une décision actée. Sans doute cette précaution avait-elle joué en sa faveur.

– Bien sûr, on pourra rentrer quelques heures à la maison pour fêter Noël, précisa Ari Thór.

« Rentrer à la maison » signifiait désormais pour lui dormir à Siglufjördur, ce qu'il n'aurait jamais imaginé avant de s'installer dans le Nord.

– Qui ça, on ? demanda Kristín.

– Tu viens avec moi, non ? répondit Ari Thór, surpris par sa question.

– Il y a de la place pour moi ? s'enquit-elle. Je m'attendais à passer la soirée au pied du sapin, avec une boîte de chocolats et un livre.

– Tómas a dit que tu pouvais nous rejoindre et loger à Blönduós avec nous. Évidemment, pas question de nous accompagner sur place… sur la scène de crime, s'il s'agit bien d'un crime, précisa-t-il.

Il ne savait pas encore grand-chose de l'affaire.

– Pourquoi pas, dit-elle.

Mais elle n'avait pas l'air convaincue.

– Tómas m'a quasiment assuré que je pourrais rentrer à la maison pour Noël, mais s'il arrive quoi que ce soit, c'est peut-être mieux qu'on reste ensemble, quitte à se retrouver dans un hôtel. Je veux dire… avec ta grossesse…

– Comme tu es romantique, le railla-t-elle.

Ari Thór se sentit soulagé. Elle le prenait bien.

– Cela dit, il faut qu'on y aille, ajouta-t-il. Dix minutes, ça suffit pour te préparer ?

– Dix minutes ? Tu plaisantes, j'espère ?

– La route risque d'être mauvaise, même par beau temps. Je vais prendre le volant, dit Ari Thór.

La voiture appartenait à Kristín, mais il préférait qu'elle ne se fatigue pas à conduire.

– Ne sois pas si vieux jeu, dit-elle.

Cependant elle ne s'y opposa pas, à condition qu'ils passent par le supermarché.

– Je mange pour deux, lui rappela-t-elle.

Ari Thór conduisit plus lentement que d'habitude : la route de Siglufjördur était jonchée de plaques de verglas, et il ne voulait prendre aucun risque avec sa femme enceinte à ses côtés. Le soleil faisait scintiller les versants enneigés des montagnes et, même s'il justifiait leur voyage, ce meurtre à élucider était loin d'occuper les pensées d'Ari Thór. Ils avaient fini la boîte de *laufabraud* qu'ils venaient d'acheter au son des vœux de Noël que la radio égrenait sur le trajet. Toute la journée du 23 décembre, chaque année, la Radio Nationale islandaise ne diffusait que des vœux de Noël envoyés depuis tout le pays. Cette tradition désuète et bien ancrée perdurait même à l'âge des réseaux sociaux, ce qui était plutôt rassurant.

Le soleil, sur le point de se coucher, perçait parfois à travers les nuages. Les montagnes étaient d'un blanc presque parfait, maculé çà et là par les taches rouges des tracteurs, les quelques brebis et une étrange maison ; un vieux chasse-neige probablement inutilisé apportait une touche finale à ce décor idéal. Le voyage les emmènerait depuis Siglufjördur jusqu'à la ville de Saudárkrókur, à une heure et demie de route, en passant par le vaste fjord de Skagafjördur. De là, ils rejoindraient Blönduós, soit quarante-cinq minutes de trajet en plus.

Au bout d'une heure, Kristín interrompit le programme radio.

– On pourrait s'arrêter à Saudárkrókur ?

– Pour quoi faire ?

– J'aimerais bien en profiter pour rendre visite à un vieux monsieur.

– Un vieux monsieur ? s'étonna Ari Thór.

– Oui… Je me suis lancée dans des recherches généalogiques…

Ari Thór soupira. Kristín avait parfois des passions bizarres. Plus sa grossesse avançait, plus elle allait fouiller dans le passé. Ari Thór l'avait toujours connue hyperactive, et voilà qu'elle se retrouvait avec trop de temps libre. Elle avait réduit son temps de travail et ses séances de sport quotidiennes s'étaient transformées en deux séances de yoga prénatal par semaine.

– Une petite visite rapide ? demanda-t-il.

– Non… Il me faudrait une heure. J'aimerais avoir des éclaircissements sur un truc que j'ai trouvé dans le journal intime de l'un de mes arrière-grands-pères. Il habitait près de Blönduós.

– On n'a pas le temps, mon amour. Tu ne m'as jamais parlé de ce journal intime, ajouta-t-il pour la consoler.

– Mon arrière-grand-père tenait un journal, s'égaya-t-elle. Il écrivait sur sa famille, la météo, la ferme et tous leurs problèmes. Les sécheresses, les inondations, la neige et le blizzard… le prix de la viande aux abattoirs, les tarifs des produits importés…

– Rien de neuf, souligna Ari Thór.

– Écoute ça, dit Kristín en sortant de son sac à main un carnet abîmé.

Elle l'ouvrit pour montrer à Ari Thór l'écriture en pattes de mouche à moitié effacée, avant de lire à voix haute :

Depuis août, la situation est tendue à l'étranger. De ce fait, le commerce est perturbé : les bateaux n'osent plus circuler et les prix ont considérablement augmenté. Nous souffrons dans toutes les villes de pénuries subites. Il pleut sans discontinuer depuis le 10. J'ai réussi à rassembler soixante chevaux, mais ils ne sont pas en bon état, et je ne pourrai pas en trouver d'autres avant la réunion. La fenaison, mal effectuée, n'a pas donné grand-chose, et je n'ai pas pu rentrer le foin avant la vingt-quatrième semaine de l'année. En revanche, le commerce fonctionne bien pour nous : le prix de la viande a atteint 27-28 aurar, la peau de mouton 45 et la laine 80. Mais les produits d'importation coûtent cher, et la guerre les rend difficiles à se procurer. La moisson n'a pas donné grand-chose non plus. Dans certains pays, elle n'a tout simplement pas eu lieu à cause de la guerre. Les fermiers ont abattu une grande partie de leurs bêtes en raison de la pénurie de pin, donc il y a moins de moutons. Les temps sont durs pour tout le monde. J'ai tué quatre-vingt-dix moutons.

– « La situation est tendue à l'étranger ». Il parle de la Première Guerre mondiale, c'est ça ? demanda Ari Thór.

– Exact, confirma-t-elle. Et apparemment, le froid s'est installé sur Blönduós. Un froid constant, des orages, des chutes de neige, du blizzard et compagnie. À plusieurs reprises, il écrit que la mer s'est transformée en glace dans la baie, ce qui n'arrange pas leurs affaires…

– Et Noël ? Il en parle ? s'enquit Ari Thór.

La radio continuait à égrener les vœux des Islandais.

– Pas vraiment. Lui et sa femme vont à la messe, mais pas souvent, et quand vient Noël, il ne parle que de la météo. Tout tourne autour du temps qu'il fait, dit-elle en tournant les pages. Noël 1915 : terre sèche jusqu'à Noël, puis grêle et sol couvert de plaques de givre. Quant à l'hiver 1918…

– Ce fameux hiver glacé ? avança Ari Thór. Je ne me trompe pas ?

Tous les livres d'histoire islandais mentionnaient cet hiver particulier. Cette année-là, le mois de janvier s'était révélé le plus froid du siècle. 1918 avait été marquée par un autre événement : la grippe espagnole, qui avait fait des centaines de morts plus tard dans l'année.

Ari Thór jeta un coup d'œil par la fenêtre. Quelques chevaux esseulés se détachaient sur le sol enneigé, et il se rappela le tableau de Jón Stefánsson accroché dans la maison de sa grand-mère, chez qui il avait vécu après la mort de ses parents.

– Tout juste, dit Kristín avant de reprendre sa lecture.

Un blizzard venu du nord, accompagné de gel, s'est levé la treizième nuit, et il a fait –26 degrés pendant plusieurs jours. Il y avait déjà eu deux jours comme ça à Noël. Le froid a duré jusqu'au deuxième mois de l'hiver et le thermomètre a même chuté à –30. La température la plus basse enregistrée dans notre pays a été –38 degrés. Les bateaux ont été pris dans la glace. Toute la baie de Húnaflói était gelée, jusque dans le Nord. Un ours polaire a été découvert et abattu près de Skagaströnd, et on a aussi tué deux baleines. Les températures sont devenues plus clémentes en février, ce qui a permis le dégel, mais le blizzard a persisté, ainsi que les chutes de neige et un froid mordant. Les perspectives restent mauvaises pour un bon moment.

– D'après Tómas, Kálfshamarsvík n'est pas loin de Skagaströnd. On aura peut-être la chance de tomber sur un ours polaire, dit Ari Thór.

Kristín ne réagit pas.

– Après, c'est un mystère, poursuivit-elle. Le journal s'arrête en 1918. Il écrit qu'après un voyage à Saudárkrókur, tout a changé. J'ai fait des recherches, et j'ai découvert que pendant son voyage, sa femme a succombé à une maladie. Je sais que sa fille lui en a toujours voulu pour ça, et ne lui a jamais pardonné son absence. Je veux savoir pour quelle raison il s'est rendu à Saudárkrókur, alors j'ai mené l'enquête pour localiser ce vieux monsieur. Apparemment, il en sait un peu plus sur la question. Ça m'intrigue. On dirait que mon ancêtre cache un secret. De toute façon, c'est normal de vouloir connaître ses racines, non ?

– Sans doute, répondit Ari Thór.

Peu après sa rencontre avec Kristín, il s'était lui-même efforcé de découvrir pourquoi son propre père avait disparu sans laisser de trace, alors qu'il n'était qu'un enfant. Il avait résolu le mystère, et découvert des choses qu'il aurait préféré ignorer.

– Parfois, c'est mieux de ne pas connaître la vérité, dit-il sans réfléchir.

4

À leur arrivée à Blönduós, Tómas les attendait, attablé devant une soupe. Seul dans la salle, il prenait un déjeuner tardif au restaurant de l'hôtel. Les murs aux couleurs vives contrastaient avec le bois sombre du bar. Sur le parquet, des tapis bleus et lie-de-vin. Un chandelier démodé pendait au-dessus d'une table ronde. Une forte odeur de poisson – de la raie – inondait tout le restaurant. Ari Thór en avait goûté plusieurs fois. Loin de laisser l'odeur puissante le rebuter, il avait apprécié le mets.

– On va puer la raie jusqu'à ce soir, lança-t-il à Tómas en guise de salut.

– Bienvenue, mon garçon, répondit Tómas. La raie était au menu du repas de Noël, en effet.

Selon la tradition islandaise, on mange de la raie fermentée le 23 décembre. Peu importe l'odeur qui s'en dégage.

– Et toi, tu te contentes de soupe, d'eau et de pain ? s'amusa Ari Thór.

– Il ne restait plus de raie. Et puis ce n'est pas n'importe quelle soupe – c'est de la vraie soupe à la viande islandaise, faite avec d'excellents morceaux d'agneau. Assieds-toi donc.

Il croisa le regard de Kristín.

– Bonsoir Kristín ! Ravi de vous revoir, dit-il d'un ton pas tout à fait convaincant.

Tómas et Kristín se connaissaient à peine. Les deux ou trois fois où ils s'étaient rencontrés, ils n'avaient pas vraiment accroché. Ils ne semblaient pas sur la même longueur d'onde.

– Bonsoir Tómas, répondit-elle avant de s'asseoir.

Ari Thór prit un siège lui aussi.

– Une petite soupe ?

Tómas fit signe au serveur et passa commande pour deux. Il réclama aussi du pain et de l'eau.

– C'est vraiment délicieux, reprit-il, guilleret, en attrapant dans sa cuillère un morceau d'agneau.

Ari Thór trouva qu'il avait grossi.

– Voilà un joli bidon, dit Tómas à l'attention de Kristín.

Ari Thór s'abstint de faire remarquer qu'il pourrait dire la même chose de son ancien collègue.

– Je suis presque à terme, confirma Kristín.

– Fille ou garçon ?

– On ne sait pas, dit Kristín. On préfère avoir la surprise.

– Bonne idée, déclara Tómas. C'est ce qu'on a fait, nous aussi.

– Comment ça se passe, dans le Sud ? demanda Ari Thór, avant de se rendre compte que cette question pouvait passer pour personnelle. Ton boulot, je veux dire, se hâta-t-il de préciser.

– Plutôt bien, dit Tómas après un moment d'hésitation. Plutôt bien…

– Commissaire. Pas mal ! dit Ari Thór.

– C'est vrai. Peut-être un peu trop bien, même.

– Comment ça ?

– Ça n'a pas fait plaisir à tout le monde, si tu vois ce que je veux dire…

– Qu'on t'ait choisi toi ?

– Je n'étais pas le seul à postuler. Et certains avaient beaucoup plus d'expérience que moi…

– D'expérience dans la police ? Vraiment ?

– Non, mais ça compte quand même. Quel bazar… confia Tómas, l'air abattu. J'ai sous ma responsabilité deux des officiers qui avaient postulé. C'est peut-être idiot, mais du coup, j'ai l'impression de devoir faire mes preuves tous les jours…

– Et cette histoire alors ? Le décès ? demanda Ari Thór.

Tómas ne lui avait probablement pas dévoilé tous les enjeux de l'affaire.

– Disons que… j'ai intérêt à avoir de bons résultats, si possible à titre personnel, avoua-t-il avec un sourire gêné.

– Tu n'as pas tardé à comprendre comment ça marchait là-bas, on dirait, dit Ari Thór d'un ton moqueur. Je vois maintenant pourquoi tu as préféré m'embarquer moi plutôt que de faire revenir de congé un gars. Je me trompe ?

Tómas s'abstint de répondre. Ari Thór ne jugea pas utile d'insister et changea de sujet.

– On a le temps de goûter à la soupe ? Personne ne nous attend ?

– La pauvre femme est morte, dit Tómas d'un ton froid, tout en sauçant son assiette de potage. Cette affaire ne risque pas de nous échapper. Je vais vous résumer l'essentiel pendant que vous mangez.

La présence de Kristín ne semblait pas poser de problème.

– C'est une drôle d'histoire, ajouta-t-il.

Le serveur revint avec un chariot sur lequel reposaient deux assiettes de soupe, la corbeille de pain et deux verres d'eau. Tómas attendit qu'il se soit retiré pour poursuivre son récit à voix basse.

– Elle s'appelait Ásta Káradóttir. Trente-trois ans. Orpheline.

Ari Thór sursauta. Orpheline. Dirait-on ça de lui à sa mort ?

« La victime a été identifiée. Il s'agit d'Ari Thór Arason. Vingt-huit ans. Orphelin. »

– Je m'explique : elle a perdu ses parents très jeune, sa mère à l'âge de cinq ans et son père avant ses vingt ans.

Voilà pourquoi Tómas veut m'impliquer dans l'enquête, songea Ari Thór, *il pense que je vais m'identifier à la victime.* Il éloigna vite cette hypothèse de son esprit. Son imagination lui jouait des tours…

– Elle habitait à Reykjavík, sur Ránargata, dans un appartement en sous-sol. La perquisition n'a rien donné.

Ari Thór mit un moment à digérer cette information.

– Ránargata, c'est bien ça ? répéta-t-il à voix basse, en prenant le soin d'articuler.

– Exact, confirma Tómas en le regardant dans les yeux. Ça te dit quelque chose ?

Ari Thór fit de son mieux pour rester impassible.

– Non, mentit-il. Rien de spécial.

En vérité, il était troublé par deux coïncidences : primo, la victime avait perdu ses parents très jeune ; secundo, elle occupait un appartement en sous-sol, dans les quartiers ouest de Reykjavík. Or Ari Thór avait habité sur Ödulgata avant de déménager dans le Nord, soit à deux pas de là où résidait la jeune fille. Avait-il croisé cette Ásta dans le quartier ? Dans la rue ou chez un commerçant ? *Ce n'était qu'une coïncidence*, se dit-il. Pourtant il se sentait mal à l'aise, comme s'il avait suivi sa trace.

Il voulait en apprendre plus sur elle tout de suite, d'où elle venait et pourquoi elle avait perdu la vie.

– Des frères et sœurs ? demanda Ari Thór.

– Personne.

Ari Thór se crispa. Une fois de plus, l'histoire d'Ásta reflétait sa propre vie.

– Plus personne en vie, je veux dire, précisa Tómas.

Ari Thór en fut soulagé, même si ces propos annonçaient une tragédie.

– Mais elle avait en effet une sœur... reprit Tómas.

– ... qui est morte ? compléta Ari Thór.

– Je te raconterai les détails plus tard. Comme je te l'ai dit au téléphone, c'est une affaire sordide, et on va passer Noël dessus. Joyeux programme, non ?

Vu son expression, il n'attendait pas de réponse à son sarcasme. Ari Thór garda le silence.

– Elle avait des problèmes d'argent, la pauvre, poursuivit Tómas d'un ton grave. Elle louait son appartement de Reykjavík et devait pas mal de loyers de retard. En plus, comme elle était au chômage, elle travaillait comme caissière intérimaire au supermarché.

– Qu'est-ce qu'elle était venue faire dans le Nord ?

– Elle a grandi ici. Mais ça faisait un bon moment qu'elle n'était pas revenue – vingt-cinq ans, je crois. Pas étonnant...

Tómas s'interrompit à nouveau. Il prit le temps de finir sa soupe et son verre avant de continuer.

– Ses parents se sont installés ici en 1983, alors qu'elle avait quatre ans. Elle a raconté qu'elle étudiait les lettres à l'université et qu'elle revenait dans la région pour finir d'écrire une thèse sur son père.

– Donc elle était étudiante ?

– Non, répondit Tómas en haussant les sourcils. Elle a passé son bac, mais c'est tout. Elle n'a jamais fait d'études supérieures, donc elle mentait. On ne sait pas pourquoi elle a fait le voyage jusqu'ici. En tout cas, c'était une mauvaise idée, vu comment elle a fini...

– Des problèmes d'argent, le chômage... intervint Kristín. Vous avez écarté le suicide ?

– Écarté ? répéta Tómas d'un air pensif. Pas vraiment. Il faut garder l'esprit ouvert, dit-il à l'attention d'Ari Thór.

– Bien sûr.

– Mais je dois vous avouer que je la sens mal, cette affaire. Je vais finir par regretter de m'en être occupé.

– Il me semble au contraire que c'est le genre d'affaire dont rêvent tous les policiers, non ? fit Kristín.

– Justement, confirma Tómas avec gêne. Bon, entrons dans les détails. On l'a trouvée, ou plutôt on a trouvé son corps, au pied d'une falaise à pic qui court de la pointe de Kálfshamarsvík jusqu'à la baie. Un endroit très dangereux si on ne fait pas attention. Il se peut qu'elle ait trébuché, qu'elle se soit approchée trop près du bord, de nuit, mais c'est peu probable. Elle a grandi ici, donc elle avait conscience du danger.

Il fronça les sourcils et son visage s'assombrit.

– Elle logeait dans la seule maison sur la pointe. La police locale a interrogé tous les habitants, ainsi que le jeune homme qui vit juste à côté. C'est l'un d'eux qui a trouvé le corps. Ils ont dit à la police qu'il s'agissait d'un suicide, ce qui paraît en effet le plus plausible.

– Et qui sont ces témoins ?

– Un frère et une sœur d'une soixantaine d'années, qui habitent là de manière permanente. Mais la maison appartient à quelqu'un dont tu as dû entendre parler à la télé : Reynir Ákason.

– Intéressant, dit Ari Thór. Il est plein aux as, non ?

– D'après ce que j'ai compris. Son père l'était, en tout cas, donc il a dû hériter d'une somme coquette. Il a repris la maison et passe beaucoup de temps là-bas.

Tómas marqua une pause avant de reprendre son récit.

– On a reçu ce matin le premier rapport d'autopsie. Comme je te l'ai dit, ils ont relevé sur son corps des marques qui ne s'accordent pas avec la théorie du suicide. Elle a des hématomes au cou, comme si quelqu'un l'avait étranglée, même si ce n'est pas la cause du décès. Ce qui l'a tuée, c'est sans doute les coups portés à la tête. À ce jour, on pense qu'elle a reçu un coup fatal à l'arrière du crâne, et que le reste des blessures est dû à sa chute depuis le haut de la falaise sur les rochers. L'anatomopathologiste ne l'a pas encore confirmé, mais c'est la version la plus crédible.

– En effet, dit Ari Thór.

– L'équipe médico-légale se trouve déjà sur la falaise – ils sont deux. Ils ont quitté Reykjavík avant moi ce matin. Ils cherchent des éléments qui indiqueraient précisément où le meurtre a eu lieu, si c'est bien d'un meurtre qu'il s'agit.

Tómas s'interrompit à nouveau, avant de poursuivre sur un rythme plus lent.

– Il y a d'autres faits étonnants. Apparemment, elle a eu un rapport sexuel peu avant sa mort.

– Avec qui ? On le sait ? demanda Ari Thór.

– Pas encore. L'analyse des échantillons va prendre un peu de temps. Rien ne permet d'affirmer qu'ils aient reçu d'autres visiteurs, alors on part du principe qu'il s'agit soit de Reynir, soit de l'autre type, Arnór – le voisin. Il a dîné chez eux le soir même.

– Tu as bien dit qu'habitaient là un homme et sa sœur ?

– Oui. Mais Óskar, le frère, n'est pas notre suspect privilégié, répondit Tómas. Il a soixante-huit ans et se déplace avec une canne. Même si on ne peut rien écarter…

Kristín parut sur le point d'intervenir, mais elle se ravisa.

– Je comprends maintenant pourquoi tu parlais d'une affaire inhabituelle, voire sordide, dit Ari Thór. La pauvre femme a dû connaître une mort affreuse.

– Tu n'as rien compris, asséna Tómas à l'attention d'Ari Thór. Ce n'est pas ça qui est sordide.

Il s'installa entre eux un silence pesant. Ari Thór se sentait de plus en plus mal à l'aise. Sans savoir pourquoi, il avait l'impression que Tómas était sur le point de faire de terribles révélations.

– Ásta avait une sœur, Tinna, reprit Tómas, les yeux baissés. Elle est morte en 1986, c'est-à-dire…

– Il y a vingt-sept ans, calcula Kristín sans avoir à réfléchir.

– Exactement. Vingt-sept ans.

– Donc elle est morte toute jeune ? dit Ari Thór d'un ton hésitant.

– Oui. Elle avait cinq ans.

– Et… dans quelles circonstances ? demanda-t-il tout en redoutant la réponse.

– Elle est tombée de la même falaise, dit Tómas.

Il parlait d'une voix hachée, monocorde, comme si l'horreur de la situation n'avait pas besoin d'être soulignée par des effets de style. Cette dernière précision les figea dans une horreur glacée.

– La même falaise ? répéta Ari Thór. Et vingt-six ans plus tard, Ásta connaît le même sort que sa sœur. Incroyable. Ça semble presque tiré par les cheveux.

– Il y a de quoi se poser des questions, remarqua Tómas.

– Comme si quelqu'un, ou quelque chose – peut-être le destin – avait décidé qu'elles connaîtraient la même fin.

Tómas ne releva pas. Il préféra poursuivre son récit.

– Deux ans auparavant, les sœurs avaient perdu leur mère, reprit-il. La famille venait de s'installer à Kálfshamarsvík.

– Perdre sa maman… quelle terrible épreuve pour deux petites filles, intervint Kristín.

– Comment est morte la mère ? demanda Ari Thór.

Au moment même où il prononçait ces mots, le regard de Tómas lui souffla la réponse. Il frissonna.

– Elle est tombée de la falaise, elle aussi, annonça Tómas d'une voix blanche.

Ari Thór se croyait prêt à affronter la vérité, mais il se trompait. Il resta muet, le temps de retrouver ses esprits.

– Toutes les trois… tombées de la même falaise ? finit-il par murmurer, choqué. Les trois ? répéta-t-il pour lui-même.

– Exact. Sur une période de vingt-huit ans. Je t'avais dit que c'était une affaire pas comme les autres.

Tómas affichait un sourire las. Il avait prévenu que c'était une affaire difficile, qu'Ari Thór regretterait sans doute d'y avoir été mêlé – il comprenait désormais pourquoi.

Kristín brisa le silence.

– Où est passé le père des gamines ? demanda-t-elle.

– Il est mort, lui aussi, au terme d'un long séjour à l'hôpital… en psychiatrie. Il ne s'est jamais remis du décès de Tinna. Il n'était pas bien vieux. D'après ce que j'ai compris, il a perdu peu à peu le goût de vivre. À la mort de Tinna, il a gardé son poste de gardien de phare encore une année, mais ce n'était plus le même homme. Avant d'abandonner, il a trouvé un foyer à Reykjavík pour sa fille aînée, Ásta. Elle n'avait que sept ans à l'époque. Je ne peux pas m'empêcher de penser que…

Il poussa un grand soupir avant de continuer.

– Je n'arrive pas à m'ôter de l'idée qu'il cherchait à la protéger de quelqu'un, ou de quelque chose. Peut-être que toutes les deux se sont suicidées, la mère et la fille. Il craignait peut-être qu'Ásta connaisse le même sort.

– C'est la première fois qu'elle revenait à Kálfshamarsvík après en être partie à l'âge de sept ans ? demanda Kristín.

– À ma connaissance, oui. Et merde ! Tout ça ne me plaît pas, maugréa Tómas en frappant sur la table d'une geste brusque. Comment deviner pourquoi trois femmes, issues de la même famille, se sont jetées du haut de la même falaise ? Je ne sais même pas si j'ai envie de le savoir…

– C'est très troublant, dit Kristín.

Ari Thór regrettait maintenant d'avoir embarqué sa compagne, enceinte jusqu'aux dents, dans une affaire aussi sinistre. En temps normal, Kristín avait du cran, mais ces derniers temps, un rien pouvait la bouleverser.

– Tu parles de « se jeter », dit Ari Thór, mais peut-être qu'on les a poussées toutes les trois ? Ou qu'elles sont simplement tombées ?

– Voilà ce que nous allons découvrir, dit Tómas avec un zeste d'arrogance.

– Et ceux dont tu as parlé, les autres habitants de la maison ? intervint Kristín. Reynir Ákason, le frère et la sœur, et le jeune voisin. Ils étaient là quand la sœur et la mère d'Ásta sont mortes ?

Impatient d'entendre sa réponse, Ari Thór jeta un coup d'œil à Tómas. Il y avait de la tension dans l'air. Tómas baissa les yeux avant de les relever.

– Oui. Selon nos informations, tous les quatre étaient là, dit-il d'une voix calme et posée.

5

Ari Thór déposa Kristín devant l'hôtel de Blönduós. Il insista pour qu'elle se repose, tout en sachant que c'était peine perdue : enceinte ou pas, Kristín n'était pas du genre à faire ce qu'on lui disait.

Elle avait une forte personnalité, il en convenait. Cela dit, il leur faudrait bientôt prendre des décisions qui allaient courir sur les années à venir. Avant de tomber enceinte, elle avait vaguement parlé d'aller à l'étranger pour se spécialiser. En fait, l'idée de faire toute sa carrière dans la médecine ne semblait pas la satisfaire à cent pour cent, mais elle ne tenait pas pour autant à abandonner son niveau de qualification, après toutes ces années d'études, et changer d'orientation. Pour faire quoi, de toute façon ?

Ari Thór tenta de réfléchir. Ses passe-temps se comptaient sur les doigts d'une main, et quand ils s'étaient rencontrés, elle était tellement absorbée par ses études qu'elle n'avait de temps pour rien. Quand elle avait commencé à travailler, elle s'était réservé les permanences les plus longues et les plus difficiles. Il ne pouvait même pas jurer qu'elle soit si enchantée de devenir mère. Peut-être s'était-il montré trop insistant quand ils avaient parlé de fonder une famille… Il se demanda à nouveau s'il ne donnait pas vie à ses rêves à lui, plutôt qu'à ceux de Kristín, avec cet enfant.

Dans la voiture, ils n'échangèrent pas un mot. Tómas avait pris le volant, comme d'habitude. Pour l'instant, la route était en bon état. Ari Thór resta perdu dans ses pensées jusqu'à ce que la voiture quitte l'asphalte pour s'engager sur une route de campagne en gravier. Ari Thór se rappela vaguement les trajets en voiture avec ses parents, à l'époque où l'essentiel du pays était sillonné de vieilles routes parsemées de nids-de-poule.

Il alluma la radio histoire de rompre le silence. Elle diffusait encore les vœux de Noël : « Nous souhaitons envoyer nos meilleurs vœux à notre famille et à nos amis d'ici et d'ailleurs, avec toute notre amitié », récita l'animateur d'une voix douce.

Mais pourquoi ? se demandait Ari Thór, qui n'en comprenait pas l'intérêt. Il avait très peu d'amis, et même ses relations les plus proches s'étaient évanouies quand il avait déménagé à Siglufjördur, dans le nord du pays. Il lui restait bien de la famille, mais il avait depuis longtemps perdu le contact avec elle suite à la mort de ses parents. Ça s'était fait petit à petit, mais à force de ne pas honorer les invitations, les gens avaient à leur tour cessé de lui rendre visite.

– On pourrait peut-être éteindre la radio ? demanda Tómas sans quitter des yeux la route.

L'obscurité les encerclait déjà. Le jour le plus court de l'année venait tout juste de passer.

La pénombre du creux de l'hiver avait toujours pesé sur Ari Thór, elle lui donnait des idées noires, et ce phénomène s'était accentué depuis qu'il s'était installé à Siglufjördur. Il avait espéré que les célébrations de Noël, pleines de joie et de sérénité, lui apporteraient du réconfort.

– Scrooge[1] est dans la voiture, on dirait, railla Ari Thór.

Il ne fut pas surpris que Tómas demande d'éteindre. Son collègue était trop terre à terre pour se laisser séduire par les fêtes et n'avait probablement jamais cru au père Noël.

Tómas ne répondit pas à sa plaisanterie.

– Tu veux jeter un coup d'œil au dossier ? enchaîna-t-il. Profites-en maintenant que tu as le temps. Les documents sont sur le siège arrière. Il faut qu'on parle à ces gens aujourd'hui même, pour voir ce qu'on peut en tirer. Ils ne sont que quatre, on devrait s'en sortir, non ?

– Évidemment.

Ari Thór tendit le bras pour attraper le dossier et sortit de la chemise une liasse de documents. Toutes les feuilles avaient été glissées dans des pochettes en plastique, mais certaines se présentaient la tête en bas. Il feuilleta le dossier. Dans leurs rapports, les policiers arrivés les premiers sur les lieux privilégiaient la piste du suicide, ou de l'accident tragique. On trouvait aussi des photos de l'endroit, ainsi qu'une brève description de quatre personnes : Arnór Heidarsson, Reynir Ákason, Thóra Óskardóttir et Óskar Óskarsson.

1. Personnage grognon qui méprise Noël, créé par Charles Dickens dans sa nouvelle *Un chant de Noël. (Toutes les notes sont de la traductrice.)*

Ari Thór examina de près deux ou trois photos des protagonistes, apparemment trouvées sur Internet. Puis il tomba sur une photo qui lui coupa le souffle.

C'était un portrait en noir et blanc d'une jeune femme aux longs cheveux sombres, les pommettes saillantes et les yeux mi-clos. Il eut l'impression qu'elle le fixait avec provocation – un regard séduisant, à la fois accrocheur et distant. Elle avait le visage grave, et pourtant, curieusement, sa bouche esquissait un sourire. Il sentit son cœur s'affoler.

Malgré la mauvaise qualité de l'impression, cette photo produisait sur lui un effet démesuré.

– C'est qui ? demanda-t-il à Tómas en montrant la photo.

Il redoutait la réponse. Tómas jeta un œil sur le document.

– C'est elle, bien sûr.

Il y eut un silence gêné.

– La femme qui est morte. Ásta, précisa-t-il.

Ari Thór se hâta de fermer le dossier.

– Elle était… belle.

Tómas ralentit avant de quitter la route pour emprunter la piste qui menait à Kálfshamarsvík. À l'horizon, la lumière du phare transperçait le crépuscule.

– Je n'avais vu cet endroit qu'en photo. C'est magnifique, non ?

Ils suivirent la piste jusqu'à la pointe, où elle se recouvrait d'une fine couche de neige. Il faisait un beau temps d'hiver ; Ari Thór arrivait presque à visualiser l'air glacé qui enveloppait le paysage et semblait s'infiltrer dans la voiture.

– Oui, ça a de l'allure, dit-il en balayant du regard la baie, la mer étale et la falaise.

Tómas prit le dernier virage. La piste se faisait plus défoncée encore dans la portion qui menait jusqu'à la maison en bord de mer. Ils n'arrivaient pas seulement au bout de la route, mais aussi au bout du monde.

– On peut le dire, murmura Tómas, toujours concentré sur sa conduite.

– Il n'y a que deux maisons par ici.

– Ce n'était pas le cas dans le temps. Je ne connais pas toute l'histoire, mais il y avait autrefois un village.

– Un village ? répéta Ari Thór, les yeux écarquillés. Ici, sur cette pointe ? Où sont passées les maisons ?

– Elles ont presque toutes disparu. Il reste, paraît-il, quelques ruines. Mais, je le répète, c'est la première fois que je viens ici.

Ils arrivèrent au bout de la piste. Il y avait là, garé près des barbelés qui clôturaient la pointe, un autre véhicule : un 4 x 4 de luxe.

– Regarde mon garçon, dit Tómas en sortant de la voiture, le doigt pointé vers la baie. Des colonnes de basalte. Quel paysage extraordinaire ! C'est magique, tu ne trouves pas ? Comme si des trolls s'étaient amusés à faire de la poterie avec le paysage.

Emmitouflé dans son manteau pour se protéger du froid mordant, Ari Thór se contenta de hocher la tête.

Un homme descendait le sentier à petites foulées pour les rejoindre. Ari Thór alla à sa rencontre.

– Bonsoir, dit l'homme, essoufflé.

Ari Thór reconnut immédiatement Reynir Ákason pour avoir vu son visage dans la presse à plusieurs reprises. Il lui trouva l'air plus âgé que sur les photos.

– Je suis Reynir. Enchanté, dit-il en ouvrant le portail.

Il leur fit signe d'entrer, comme si le cap tout entier lui appartenait.

Ari Thór céda à la tentation.

– Quelle propriété magnifique ! s'exclama-t-il. La maison, le phare…

Reynir eut un petit rire gêné.

– Seule la maison m'appartient, mais nous sommes depuis toujours responsables de l'entretien du phare.

Le vent glacial s'acharnait à couvrir sa voix.

– Dans le temps, il y avait tout un village, reprit-il pour briser le silence.

– C'est ce qu'on m'a dit, répondit Ari Thór.

Reynir les guida jusqu'à la maison. Une fois à l'abri du froid, Ari Thór crut distinguer la mélodie d'un piano. Reynir les conduisit à la salle à manger où un vieux monsieur jouait en effet sur un vénérable piano noir. Sans être un pianiste professionnel, il se débrouillait plutôt bien, jugea Ari Thór. Le salon, malgré sa décoration un peu artificielle, avait de l'allure, avec ses meubles de valeur patinés par les années. Faiblement éclairée, la pièce manquait cependant de chaleur et de vie, comme si la maison elle-même était dépourvue de personnalité.

– Schubert, dit Ari Thór à l'attention de Tómas.

À ces mots, l'homme s'arrêta de jouer en plein milieu d'une mesure. *Ave*, mais sans *Maria*. Il tourna les yeux vers son visiteur et acquiesça. Ari Thór connaissait bien ce morceau : sa mère le jouait souvent au violon à Noël. Elle faisait partie de l'Orchestre symphonique d'Islande.

– Le pépé joue cet air en boucle pendant toute la période de l'Avent, dit Reynir d'un ton moqueur.

Ari Thór supposa que « le pépé » désignait Óskar, soixante-huit ans. La femme assise à table devait avoir le même âge – probablement sa sœur.

– Vos collègues sont à l'étage, dit Reynir à Tómas.

Ari Thór comprit qu'il faisait allusion à l'équipe médico-légale.

– Merci. Pourquoi à l'étage ?

– C'est la chambre d'Ásta, celle qu'elle occupait dans son enfance, répondit poliment Reynir, un peu embarrassé.

Tómas hocha la tête. Ils restèrent un moment tous les trois debout au milieu de la pièce sans échanger un mot – Tómas, Ari Thór et Reynir –, tandis que le frère et la sœur, figés sur leurs sièges, semblaient attendre un verdict.

– Je suis désolé d'avoir à vous déranger la veille de Noël, annonça finalement Tómas, solennel. Mais j'imagine que vous comprenez l'urgence de la situation.

– Elle s'est jetée dans la mer, non ? demanda la femme d'une voix traînante. La mère et les filles, j'ai toujours pensé qu'elles étaient maudites, pour ainsi dire.

– Vous êtes Thóra, n'est-ce pas ? demanda Tómas en la dévisageant. Thóra Óskardóttir ?

– Tout à fait.

Son air arrogant laissait penser qu'elle restait sur ses gardes.

– Ne perdons pas de temps, poursuivit-il. Nous aimerions rentrer chez nous pour Noël, et j'imagine que vous serez contents de ne pas nous avoir sur le dos le soir du réveillon. Nous allons donc rester tard ce soir, et nous tenons à nous entretenir avec chacun de vous, précisa-t-il. Il nous faudra aussi parler avec Arnór Heidarsson. Il est disponible ?

– J'imagine qu'il est chez lui, à deux pas d'ici, dit Thóra.

– Nous passerons le voir en partant, dit Tómas en jetant un coup d'œil à Ari Thór.

– Vous n'avez pas répondu à la question de Thóra, observa Reynir. Faut-il comprendre qu'il ne s'agit pas d'un suicide ?

Tómas se tourna vers lui.

– On n'en sait rien pour le moment, répondit-il avec prudence. Pourriez-vous nous allouer une pièce ? Un bureau, une chambre inoccupée ?

– Bien sûr. Vous pouvez prendre le salon, ou alors mon bureau. Cette porte-là, précisa Reynir en la montrant du doigt.

– Parfait, nous allons nous y installer. On peut utiliser votre accès Internet ?

– Désolé, mais je n'ai pas d'ordinateur ici.

Óskar parut sur le point d'intervenir, mais il se ravisa.

– Nous avons un ordinateur, dit Ari Thór. Il nous faut juste un accès wi-fi.

– Pardon ! Bien entendu, dit Reynir. Je vais m'en occuper.

– On va d'abord s'asseoir pour discuter, dit Tómas d'un ton sans appel. Mais avant ça, je voudrais voir nos collègues. Pourriez-vous nous accompagner à l'étage ?

6

Tómas et Ari Thór grimpèrent le vieil escalier en colimaçon jusqu'au grenier, où ils trouvèrent une jeune femme de l'équipe médico-légale accompagnée d'un collègue un peu plus âgé. Elle se présenta sous le nom d'Hanna et fut la seule à parler – c'était sans doute elle qui menait les opérations. Elle rappelait à Ari Thór une chanteuse connue dont le nom lui échappait pour le moment.

– C'est ici que dormait la défunte, dit Hanna en désignant une petite chambre qui aurait convenu à un enfant, mais manquait d'espace pour un adulte.

Sous la lucarne, un lit étroit où Ásta avait probablement passé sa dernière nuit.

Hanna alla droit au but.

– On a trouvé des traces de sperme par terre, non loin du mur, dit-elle. Nous allons faire des prélèvements, mais la comparaison des échantillons va prendre un certain temps.

– Ça confirme ce que nous savons : elle a eu une relation sexuelle peu avant sa mort, dit Tómas.

– On est en train de relever le maximum d'empreintes dans la pièce. Nous avons déjà pris celles de toutes les personnes présentes, et prélevé leur ADN.

– Y compris le voisin, Arnór ? demanda Ari Thór.

– Oui. Mummi sort tout juste de chez lui, dit-elle en désignant son collègue d'un signe de tête.

– Y a-t-il selon vous des raisons de penser qu'elle a été assassinée dans sa chambre ?

– On n'a rien trouvé pour le moment. Pas de sang, aucune trace de lutte, mais on continue à chercher. Aucune trace de violence non plus dans l'escalier.

– Vous pourriez passer rapidement en revue le bureau de Reynir, au rez-de-chaussée ? On va s'en servir pour travailler, et je ne tiens pas à gâcher d'éventuelles preuves.

– Mummi et moi avons déjà examiné l'ensemble du rez-de-chaussée. Pas aussi minutieusement qu'ici, mais si j'ai bien compris, rien ne laisse penser qu'il s'est passé quoi que ce soit en bas.

Tómas acquiesça.

– Et le sous-sol ?

– On s'y met juste après.

Elle sourit. Elle ressemblait vraiment à cette chanteuse dont il détestait la musique. Comment s'appelait-elle, déjà ?

Même si le bureau de Reynir avait été décoré dans le souci d'apporter un peu de chaleur à la pièce, celle-ci restait peu accueillante. Et pourtant, on n'avait pas regardé à la dépense. Derrière l'antique bureau de bois foncé trônait un fauteuil en cuir velours. Au mur, les étagères supportaient de superbes reliures anciennes probablement passées de génération en génération. De lourds rideaux habillaient les fenêtres et, dans un coin, un canapé de cuir côtoyait une ravissante table basse en verre.

Tómas prit place dans le fauteuil de bureau. Ari Thór alla chercher dans le salon deux chaises supplémentaires, s'installa dans l'une et fit signe à Reynir de s'asseoir à son tour.

– Merci de nous prêter votre bureau, dit Tómas d'un ton affable. Quand êtes-vous revenu ici ?

– Je fais depuis toujours de courts séjours ici, surtout l'été, tout en vivant à Reykjavík. Mais depuis quelques années, je passe davantage de temps dans la région. Peut-être que je suis un homme de la campagne, finalement... dit Reynir en esquissant un sourire. Mon grand-père a construit cette maison en 1951. Comme je vous l'ai dit, il y avait dans le temps un village entier ici, mais cette année-là, tout le monde avait déjà déguerpi.

– Pour quelle raison ? demanda Ari Thór.

– Óskar en sait plus que moi, il connaît l'histoire de cet endroit mieux que quiconque. Je ne suis pas très calé sur le sujet.

Reynir s'interrompit. Apparemment mal à l'aise, il se tortilla sur son siège.

– Mais j'ai une autre histoire à vous raconter sur la région. Un peu plus au nord, il y a une ferme célèbre : on dit qu'elle a été hantée... Apparemment, ce serait le plus bel exemple d'activité paranormale de ces dernières années.

– Quand est-ce que ça a commencé ? s'enquit Ari Thór, qui n'en avait jamais entendu parler.

– 1964, l'année où je suis né. En mars, donc le même mois. À l'époque, mes parents s'y trouvaient en compagnie de ma grand-mère – ils étaient venus s'y reposer. J'étais censé naître en mai, mais je suis arrivé prématurément, fin mars. Peut-être que ces histoires de fantômes ont déclenché la naissance... dit-il avec un sourire maladroit. À l'époque, ça a fait la une des journaux. À en croire la presse, les tables et les chaises se déplaçaient toutes seules, la vaisselle se brisait sans raison, les armoires se renversaient sur le sol... Je trouve ces récits fascinants. On a vu débarquer des journalistes à la maison.

– Ce n'était pas un tremblement de terre, tout simplement ? suggéra Ari Thór.

– Non. On a envoyé là-bas un géologue, mais les objets ne se déplaçaient pas en même temps, ce qui réglait la question. Cette histoire a intéressé jusqu'à la presse étrangère : le *New York Times* a publié un article à ce sujet.

– Avez-vous assisté au même genre de phénomènes ici ?

Il vit à l'expression de Tómas que celui-ci en avait entendu assez sur le sujet.

– Pas vraiment... mais le destin de ces trois femmes est tout de même inquiétant, dit-il d'un ton grave.

– Vous êtes célibataire, Reynir ? poursuivit Tómas.

– Oui. Mais je ne vois pas où vous voulez en venir, dit-il d'un ton acerbe.

Il ne s'attendait pas à cette question.

– Vous aviez quel type de relation avec Ásta ?

– De relation ? On n'avait pas de relation, bon sang, dit-il en haussant la voix. Elle m'a demandé si elle pouvait loger ici, et j'ai accepté. Pourquoi j'aurais refusé ? Je ne l'avais pas revue depuis qu'elle avait déménagé, il y a vingt-cinq ans.

– Est-ce que vous couchiez ensemble ? lâcha Tómas sur un ton anodin.

Ari Thór observa avec attention la réaction de Reynir. Il avait l'air consterné.

– Pardon ? Bien sûr que non !

– Ma question vous paraît absurde ?

– Qu'est-ce qui vous fait croire que j'ai couché avec elle ? aboya Reynir, de plus en plus en colère.

– Si c'est le cas, vous feriez mieux de l'avouer tout de suite, conseilla Tómas d'une voix calme. Parce que nous le saurons tôt ou tard.

– Je n'ai pas couché avec elle ! dit-il d'un ton rageur. Est-ce qu'elle a été assassinée ? Violée ? Vous ne nous avez encore rien dit !

– À votre avis ?

– Je crois qu'elle s'est jetée du haut de la falaise, tout comme sa mère et sa sœur.

– Dites-nous comment elles sont mortes, demanda Tómas, impassible.

Il prend soin de ne pas énerver davantage Reynir, nota Ari Thór.

Celui-ci se racla la gorge.

– Eh bien... commençons par le début. Ma famille est responsable du phare depuis des années, mais ni mon grand-père ni mon père ne s'en occupaient eux-mêmes. Ils avaient bien trop à faire, à Reykjavík ou à l'étranger. Il y a trente ans environ, ils ont embauché Kári comme gardien. Il est donc venu s'installer avec sa femme et ses deux filles : Ásta et sa sœur. À l'époque, on ne savait pas que sa femme était dépressive, et qu'il avait accepté ce poste pour lui offrir une nouvelle vie. Kári a attendu sa mort pour nous l'avouer.

Reynir se pencha en avant, puis il se redressa et croisa les jambes.

– Elle s'est jetée du haut de la falaise, tout comme Ásta.

– Vous étiez là quand c'est arrivé ? demanda innocemment Ari Thór, comme si la question n'avait pas d'importance.

Reynir lui jeta un regard méfiant.

– Il se trouve que oui. Après le bac, je suis venu vivre ici avec mon grand-père. Les cours à l'université, je ne les ai commencés que l'année d'après. Sæunn, la femme de Kári, est morte fin juin, par une nuit d'orage. La falaise est à deux pas d'ici. Elle s'est jetée dans le vide en pleine nuit.

– Est-ce qu'il y a eu des témoins ? Quelqu'un qui l'aurait entendue ? demanda Tómas.

– Pas que je sache. Je me souviens... Thóra disait qu'elle avait entendu un cri, mais qu'elle n'avait pas réagi, ça pouvait être le vent, tout simplement...

– Qui d'autre logeait avec vous, à ce moment-là ?

– Thóra et Óskar, bien sûr. Ils ont plus ou moins grandi auprès de mon père, donc ils habitaient ici. Quand sa pauvre mère est morte, Thóra a naturellement repris le poste de gouvernante. Elle était partie faire des études dans le Sud, mais ça s'est mal passé. Elle a l'esprit vif, mais elle n'est pas très avenante. Je crois qu'elle en veut un peu à la vie en général, soupira-t-il. Mais elle s'est toujours montrée gentille avec moi. Ma mère est morte jeune, et malgré son caractère bien trempé, Thóra m'a servi de mère adoptive. De mon côté, je représentais peut-être le fils qu'elle n'a jamais eu.

Reynir marqua une pause avant de reprendre son récit.

– On n'a jamais vraiment considéré cette propriété comme une ferme. Mon père montait très bien à cheval. J'ai hérité d'un nombre incroyable de chevaux, vous savez. Óskar s'en est occupé un bon moment, avant de passer la main à Arnór. Aujourd'hui, Óskar fait office de gardien, plus ou moins. C'est un drôle de personnage, solitaire, réservé, pas bavard, mais fort comme un chêne et dur à la tâche. Je ne les paie pas grand-chose, ni l'un ni l'autre, mais ils sont logés et blanchis depuis toujours. Quand j'étais plus jeune, j'occupais le sous-sol à moi tout seul. Kári et Sæunn dormaient au grenier avec leurs filles, Ásta et Tinna. On s'était arrangés comme ça…

– Votre père était présent, à la mort de Sæunn ?

– Non.

– Et Arnór ?

– Je crois que oui. Il habitait avec ses parents dans une ferme des environs, mais il a toujours fait partie de la maison. Il n'était pas bien grand à la mort de Sæunn… Il devait avoir… huit ans, calcula-t-il.

– Ensuite, la sœur d'Ásta est morte, c'est ça, trois ans plus tard ? demanda Tómas d'une voix à la fois douce et ferme.

– Oui… elle est morte. Quel choc pour nous…

– Vous vous rappelez les faits ? reprit Ari Thór – une manière détournée de savoir si Reynir était là au moment du drame.

– Oui. Là encore, c'était l'été, une belle soirée d'été. Les filles jouaient ensemble après le dîner. Ásta était une gamine intelligente, à la personnalité affirmée. Son père lui confiait la responsabilité de veiller sur sa sœur. Il aurait pu nous quitter à la mort de sa femme, mais il avait chez nous un travail rémunéré. À mon avis, il n'était pas issu d'une famille aisée, et il n'avait probablement nulle part où aller. J'imagine qu'il ne voulait pas risquer de se retrouver sans boulot avec deux enfants à charge. Il disait tout le temps aux filles de ne pas s'approcher de la falaise. Ce soir-là, elles jouaient à cache-cache. Ásta était à la maison en train de compter pendant que sa sœur se cachait.

– Quel âge avait Tinna ?

– Dans les cinq ans, je crois. Elles avaient deux ans d'écart.

– Et elle est tombée de la falaise, elle aussi ? dit Ari Thór, qui connaissait déjà la réponse.

– Exactement. La falaise leur a été fatale à toutes les trois.

Ari Thór frissonna.

– Ásta est venue me retrouver au sous-sol, en larmes, poursuivit-il. Elle m'a dit qu'elle jouait à cache-cache avec sa sœur, mais qu'elle n'arrivait pas à la trouver.

– Personne ne l'a vue tomber ?

Comme Tómas n'avait pas l'air de vouloir intervenir, il décida de reprendre l'interrogatoire.

– Non. Il n'y avait personne d'autre que Tinna derrière la maison. Óskar était bien présent, mais il prenait un bain de mer donc il n'a rien vu. De la maison, on ne voit pas la falaise, sauf depuis la fenêtre d'Ásta, au grenier. Pour ma part, j'étais au sous-sol. Leur père se trouvait dehors, de l'autre côté. Pour lui, les deux filles jouaient dans le jardin de derrière. Il n'a pas vu Ásta entrer par l'autre porte, celle qui donne sur l'escalier en colimaçon. Kári sombrait dans la dépression depuis la mort de sa femme. Il arrivait encore à s'occuper du phare, mais en pilotage automatique. Il se contentait du strict minimum. Il n'était pas très proche de ses filles, dormait énormément, et il passait ses soirées devant la télévision. Un vrai zombie. La mort de Tinna lui a fait l'effet d'un électrochoc. Il s'est dit qu'il devait à tout prix empêcher Ásta de connaître le même destin…

Reynir soupira de façon un peu théâtrale.

– Il a fini par envoyer Ásta dans le Sud, chez sa sœur, poursuivit-il.

Ari Thór eut une pensée compatissante pour Ásta, non seulement à cause de sa triste fin, mais aussi pour toutes les tragédies qu'elle avait connues au cours de sa vie. En l'espace de quelques années, elle avait perdu toute sa famille. Ressentait-il, à travers elle, de la pitié pour lui-même ?

– Apparemment, ce n'était pas une bonne idée, continua Reynir. Sa tante n'avait pas beaucoup de temps à lui consacrer…

– Comment vous le savez ? Vous dites que vous n'aviez pas vu Ásta depuis des années ?

Reynir parut d'abord tenté d'éluder la question.

– On a discuté, finit-il par répondre. Peu avant sa mort…

– En tête-à-tête ?

– Oui. C'est la seule fois, précisa Reynir d'une voix sereine.

– Quand ?

– Après le dîner. On a pris un repas tous ensemble le deuxième soir après son arrivée. Le soir de sa mort, en fait. Puis on est partis chacun de notre côté. Elle est redescendue un peu plus tard – elle avait oublié quelque chose en bas – et on a parlé. Je lui ai bien sûr demandé ce qu'elle était devenue pendant toutes ces années. Elle m'a raconté en quelques mots, et j'ai compris que sa vie n'avait pas été une partie de plaisir.

– Il était tard ?

– En fait… je ne sais pas quelle heure il était, dit Reynir après un temps de réflexion. Après, elle est retournée se coucher.

Ari Thór et Tómas échangèrent un regard. Selon les conclusions de l'autopsie, Ásta était probablement décédée tard dans la nuit, même si le médecin refusait de donner une heure précise.

– Elle est arrivée ici le 18 décembre, intervint Tómas. Vous avez dîné tous ensemble le soir du 19 et elle a été retrouvée morte le lendemain. C'est ça ?

– C'est ça.

– Et elle vous a contacté quand ?

– Quelques jours avant. Elle m'a envoyé un mail. Plus exactement, elle a envoyé un mail à mon bureau, qui me l'a transmis. Elle demandait à loger ici quelques jours, elle a parlé d'une thèse à finir.

– Il nous faudrait la copie du mail.

– Je vais vous trouver ça.

– Ça fait quel effet de vivre ici ? demanda Ari Thór.

Il avait une expérience à la fois directe et indirecte de ce que provoquait la sensation d'isolement.

– C'est une région superbe. Nous accueillons parfois des touristes venus voir le phare et les formations de basalte. Nous avons les plus belles colonnes de basalte du pays.

– La solitude ne vous pèse pas ?

– Non, pas vraiment, nous avons un village pas loin, Skagaströnd, et les fermes voisines sont habitées. Bien sûr, on se sent un peu isolé quand même. On n'a pas de pompiers dans le coin, donc si un incendie se déclarait, tout partirait en fumée avant que la brigade de Skagaströnd ait le temps d'arriver, dit-il avec un sourire insouciant. Et il neige parfois beaucoup en hiver, mais on est tout près de la mer.

– L'appel de la mer ? suggéra Tómas.

– Oui...

Reynir demeura un instant songeur.

– La mer, c'est la liberté.

7

Pendant que Tómas partait chercher Thóra Óskardóttir, Ari Thór ouvrit la petite fenêtre du bureau. La vieille femme s'assit au moment où un souffle d'air marin s'engouffrait dans la pièce.

– Nous n'avons pas beaucoup discuté, les deux jours qui ont précédé la mort de cette pauvre fille.

Reynir avait raison : Thóra ne prenait pas de pincettes. Pourtant, il semblait à Ari Thór qu'elle ne cherchait pas à manifester quoi que ce soit – elle parlait toujours sur ce ton.

Tómas s'appuya contre le dossier de sa chaise. Il fixa Thóra sans dire un mot et laissa Ari Thór mener l'interrogatoire. Si Tómas l'avait sorti de Siglufjördur pour l'emmener dans un coin reculé, ce n'était pas pour qu'il se contente d'observer.

– Vous étiez proches, dans le temps ? demanda-t-il.

– Proches ? Non, pas vraiment, dit-elle en haussant les épaules. Elle était plus proche d'Óskar, en fait. Il a toujours su y faire, avec les enfants.

Ari Thór l'avait sentie hésiter en disant ces mots.

– Ça ne vous a pas étonnée, qu'elle revienne après toutes ces années ?

Elle haussa les épaules à nouveau.

– Si, bien sûr. Elle a raconté qu'elle rédigeait une thèse, mais je ne sais pas si c'était vrai. À sa place, j'aurais continué de fuir cet endroit comme la peste. Il n'a pas vraiment porté chance à sa famille, dit-elle en reniflant.

– Pas vraiment, en effet, dit Ari Thór d'un ton aimable. Comment vous expliquez ce… manque de chance, comme vous dites ?

– Je ne l'explique pas, répondit-elle aussitôt. Peut-être qu'elles étaient toutes les trois en transe quand elles ont sauté. Comment savoir ? Mais je suis sûre qu'il n'y a dans cette histoire rien de… surnaturel, conclut-elle.

– Qu'est-ce qui vous fait dire ça ? poursuivit Ari Thór, plus pour relancer la conversation que pour s'entendre raconter des histoires de fantômes.

– Je suis quelqu'un de rationnel. Je ne crois pas à ces balivernes.

– Reynir dit qu'il y a près d'ici une ferme qui a défrayé la chronique il y a quelques années parce qu'elle était hantée.

– Il a dit ça ? s'amusa-t-elle. Curieux. D'habitude, il se montre encore plus sceptique que moi sur ces sujets-là. Ce n'est pas une histoire d'esprits maléfiques, mais de faiblesse humaine, tout simplement.

– Comment ça ? fit Ari Thór sans la quitter des yeux.

Elle ne se laissa déstabiliser ni par l'intensité de son regard, ni par sa question.

– Que s'est-il passé, à votre avis ? la pressa-t-il.

– Je n'en ai aucune idée. Ce n'est pas moi qui l'ai poussée, répondit-elle sèchement. Mais je me suis vraiment posé des questions quand la petite est tombée de la falaise. Dieu ait son âme, dit-elle en se signant.

Ari Thór attendit patiemment qu'elle poursuive.

– Je crois qu'Ásta a vu quelque chose, finit par déclarer Thóra. À mon avis, c'est pour ça qu'on l'a envoyée là-bas, à Reykjavík.

– Vu quoi ?

– De toute la maison, la seule fenêtre qui donne sur ces satanées falaises est celle de sa chambre, au grenier. Or elle s'y trouvait. Elles jouaient à cache-cache toutes les deux, et elle avait laissé sa sœur dehors. Je pense qu'elle est montée à l'étage pour regarder où sa sœur se cachait, et qu'elle a assisté à une scène qu'elle n'aurait pas dû voir.

– Qu'est-ce qui vous fait penser ça ? demanda Ari Thór. Vous pouvez nous l'expliquer ?

Thóra resta un moment pensive. Elle semblait se demander jusqu'à quel point elle devait collaborer avec la police.

– Elle me l'a fait comprendre, finit-elle par avouer.

– Ásta ?

– Oui. Avant de partir d'ici pour de bon, il y a des années. Ça lui a échappé sous le coup de la colère ; elle devait s'en aller à cause de ce qu'elle avait vu. Je lui ai demandé des explications. « Quand tu étais dans le grenier ? » ai-je dit. Je me suis aussitôt rendu compte de ce que ça impliquait. Elle a acquiescé, mais elle n'a rien dit de plus.

– Elle a vu quoi, à votre avis ?

– Quelque chose de terrible, répondit Thóra à contrecœur, en détachant chaque mot pour leur donner du poids.

– Comme quoi, par exemple ? Quelqu'un qui précipite une petite fille du haut d'une falaise ?

– Exactement.

– Mais qui aurait pu faire ça ?

Pour la première fois, Thóra parut hésiter. Apparemment, elle avait sa petite idée, mais elle se demandait s'il fallait en faire part à la police.

– Quelle importance après tout ? finit-elle par annoncer. Ils sont tous morts aujourd'hui. Pour moi, s'il y a un coupable, c'est le père.

– Son propre père ?

Ari Thór n'en croyait pas ses oreilles. Il pensa immédiatement à Kristín et à l'enfant qu'elle portait. L'hypothèse de Thóra dépassait tout ce qu'il pouvait imaginer.

– Qu'est-ce qui vous fait penser ça ?

– Parce qu'il a envoyé son autre fille dans le Sud, pour qu'elle oublie. Ou pour qu'elle commence une nouvelle vie loin de lui. Qui sait ? Après son départ, il est devenu de moins en moins bavard. On a fini par le faire interner. Ça ne tournait plus rond dans sa tête.

Elle se toucha le front pour illustrer ses propos.

– Vous vous rappelez le jour où Tinna est morte ?

Il n'était pas sûr que des événements si anciens aient quoi que ce soit à voir avec le décès que Tómas et lui avaient aujourd'hui à élucider, mais autant ne rien laisser au hasard. Cette affaire pas comme les autres s'entourait de bien des mystères.

– Très bien, dit-elle à voix basse. J'étais dans la cuisine en train de débarrasser quand j'ai entendu Reynir appeler. Ásta venait de lui dire que Tinna avait disparu.

– La cuisine du rez-de-chaussée ou celle du sous-sol ?

– Non, pas celle du sous-sol. À ce moment-là, Óskar et moi avions chacun une chambre au niveau principal. On habitait là toute l'année, voyez-vous. Le père de Reynir tenait à avoir une gouvernante en permanence dans la maison. Il était de l'ancienne école, vous comprenez ?

Ari Thór acquiesça.

– Mais depuis peu, on vous a renvoyés au sous-sol, dit-il avec ardeur, dans l'espoir de susciter une réaction.

– C'est la vie, répondit-elle, d'une voix enfin troublée par l'émotion.

Elle toussa et reprit son récit.

– Reynir avait envie de changement, dit-elle avec un maigre sourire. Bref… on est partis à la recherche de la petite fille. Peu après, on a retrouvé son corps dans les rochers, au pied de la falaise. Quel affreux spectacle. C'était terrible.

– Depuis combien de temps habitez-vous ici, tous les deux ?

– Environ soixante ans, je dirais. Óskar est là depuis plus longtemps. Mais j'ai cessé de compter, dit-elle d'un ton glacial.

– Ça fait beaucoup.

Ari Thór n'avait que vingt-huit ans. Soixante ans, c'était une vie entière, voire plus.

– Vous dites qu'Óskar a vécu ici plus longtemps que vous ?

– J'ai déménagé quelques années dans le Sud pour mes études. Cette pointe, cette baie, c'est le territoire d'Óskar. Il le connaît comme le dos de sa main et n'en bougerait pour rien au monde. Moi… eh bien… on finit par s'habituer.

Sa voix était si triste qu'Ari Thór ne savait plus quoi dire. Il avait oublié sa question d'après. D'un regard, il appela Tómas à la rescousse, mais son collègue restait assis sans rien dire, l'air concentré.

Thóra finit par briser elle-même le silence.

– Je suis désolée. Je me suis sans doute montrée un peu trop franche. Quand on arrive au terme de sa vie, on ne voit plus aucun intérêt à déguiser les faits.

Au terme de sa vie ? Ari Thór avait du mal à lui donner un âge. Elle avait un ou deux ans de moins qu'Óskar, donc soixante-cinq ou soixante-six ans, a priori. À cet âge-là, on tient rarement ce genre de discours.

– Et donc vous avez vécu soixante ans ici ? Vous avez vu grandir Reynir.

Il suggérait par là qu'elle en avait été la mère adoptive.

– Depuis qu'il est tout petit, oui. Mais par intervalles, même s'il passait beaucoup de temps ici. Il venait l'été avec ses parents, quand son grand-père était encore en vie. Áki laissait souvent Óskar s'occuper de Reynir après la mort de sa mère. Ils n'avaient pas du tout le même caractère, le père et le fils. Áki n'avait aucune idée de la manière dont on élevait les enfants, et il avait peu de temps à consacrer au petit.

On sentait dans sa voix toute l'affection qu'elle portait à Reynir.

Ari Thór décida d'emmener la conversation dans une tout autre direction.

– Reynir m'a dit que vous aviez entendu un cri, la nuit où la mère des deux filles a perdu la vie.

Il attendait de voir quel effet ces mots, lancés de but en blanc, auraient sur Thóra.

– C'est juste, confirma-t-elle, le visage grave. Je l'ai entendue crier. J'en suis sûre. Mais personne ne m'a crue... Forcément, ça n'arrangeait personne de me croire. Si elle avait appelé, alors quelqu'un l'avait poussée. C'est plutôt gênant comme explication, non ?

– Et si elle avait été poussée...

Ari Thór laissa sa phrase en suspens. Il espérait que Thóra la finirait pour lui, mais elle n'en fit rien.

– Ásta avait repris sa chambre de petite fille, au grenier, c'est ça ? intervint Tómas, à la surprise de tous.

– Au grenier, oui.

– Elle n'y a pas vu d'inconvénient ?

– Non, je ne crois pas. C'est Reynir qui a proposé. Il pensait que c'était la meilleure solution. Il nous a demandé, à Óskar et moi, de préparer la chambre. Comme elle nous servait de débarras, Óskar a tout déménagé. Il a entreposé des dizaines de cartons dans la chambre de Tinna de l'autre côté du palier... poursuivit-elle un ton plus bas. J'ai mis pas mal de temps à nettoyer la chambre d'Ásta, elle croulait sous la poussière.

– Pourriez-vous me parler d'Ásta ?

– On ne l'avait pas vue depuis des années...

– Mais vous l'avez connue petite, n'est-ce pas ?

– Bien sûr. Ásta savait ce qu'elle voulait. Elle était vive, têtue, et elle savait se faire respecter. Tinna avait meilleur caractère, elle se montrait douce et obéissante. Elles avaient beau se ressembler physiquement – on comprenait au premier coup d'œil qu'elles étaient sœurs –, elles étaient très différentes. Comme je vous l'ai dit, Ásta s'entendait très bien avec Óskar, dit-elle à nouveau d'une voix hésitante. Avec Reynir aussi, malgré leur différence d'âge. Ásta avait sept ans quand elle nous a quittés, Reynir vingt. Ils adoraient tous les deux la mer, je me souviens. À l'époque, Reynir ne songeait qu'à naviguer.

À l'évocation de ces souvenirs, un sourire se dessina sur son visage.

– Il a passé l'été à se construire un petit bateau… ou plutôt, à le faire construire par le père d'Arnór. Reynir n'a jamais été très habile de ses mains. Ce bateau, Ásta n'arrêtait pas d'en parler. Elle disait que dès qu'il serait prêt, elle partirait tous les matins naviguer avec Reynir.

Le visage de Thóra s'éclaira d'un grand sourire.

– Elle adorait vraiment l'eau !

Ari Thór était sur le point de revenir aux circonstances de son décès quand on toqua à la porte. C'était Hanna. Elle leur annonça qu'elle et Mummi souhaitaient accéder au phare, mais qu'il était fermé à clé.

– Vous auriez la clé ? demanda-t-elle.

Tómas secoua la tête et tourna son regard vers Thóra.

– Je ne l'ai pas non plus, répondit-elle. Il faudrait demander à Óskar ou Arnór.

Ari Thór se leva et gagna le salon où Óskar et Reynir se partageaient le canapé. Ils n'avaient probablement pas échangé un seul mot. Un sapin avait été abandonné dans l'un des coins. Personne n'avait pris la peine de le décorer, alors qu'on était la veille du réveillon. Jamais Ari Thór n'aurait pensé passer ainsi son dernier jour de travail avant les congés.

– Il me faudrait la clé du phare, dit-il avec autorité.

– Il y en a deux, répondit aussitôt Reynir. Arnór en a une, Óskar a l'autre.

Ari Thór jeta un coup d'œil à Óskar. Celui-ci attrapa sa canne, se mit debout et claudiqua jusqu'à l'entrée d'où il sortit de sa poche de manteau un trousseau de clés.

– La voilà, dit-il en tendant à Ari Thór la clé.

– De quand date votre accident ? demanda Ari Thór en montrant du doigt la canne avec laquelle Óskar se déplaçait.

– À peu près six mois, marmonna Óskar. C'est le genou.

Tout en acquiesçant, Ari Thór jugea, comme Tómas, qu'un homme âgé qui s'aidait d'une canne pour marcher pouvait difficilement commettre un meurtre.

Il donna la clé à Hanna, qui patientait à la porte, puis regagna le bureau où Tómas poursuivait l'entretien avec Thóra.

– ... absolument pas, entendit Ari Thór au moment où il entrait.

Puis elle l'aperçut et se tut.

– Nous parlions de la nuit où Ásta est morte. Thóra dormait profondément et n'a rien entendu, dit Tómas, ce que Thóra confirma d'un hochement de tête.

– C'est Óskar qui a trouvé le corps, dit-elle. Le lendemain matin.

– Il la cherchait ?

– Non. Pour nous, elle était toujours en train de dormir à l'étage. Lui, il passe son temps sur la pointe. Il s'y promène matin et soir.

– Malgré son genou ? demanda Ari Thór, qui trouvait cela curieux.

– Son genou ne va pas si mal. Il faut juste le ménager. Il longe toujours la côte au niveau de la mer. Il aime bien crapahuter sur les rochers pour être près de l'eau. Enfin, il *aimait* bien. Mais c'est comme ça qu'il s'est blessé au printemps dernier. Un jour, il va se faire sérieusement mal. J'aimerais mieux partir avant lui, je n'ai aucune envie d'assister à ce spectacle.

Ari Thór n'osait pas lui demander de s'expliquer, et elle n'en dit pas davantage. Il espérait qu'elle reviendrait sur le sujet un peu plus tard.

– Tout à l'heure, vous avez dit que vous ne saviez pas ce qui était arrivé à Ásta, reprit Tómas.

– C'est exact, répéta-t-elle d'une voix cette fois moins assurée.

– Vous n'avez rien remarqué d'inhabituel, rien de louche ?

C'est quand il adoptait cet air détaché que Tómas posait en réalité les questions les plus cruciales – Ari Thór le savait.

– Non, rien, dit Thóra en regardant par la fenêtre, comme s'il lui tardait d'en finir.

– Merci, dit Tómas. C'est tout pour le moment.

– Elle cache quelque chose, dit Tómas dès qu'ils se retrouvèrent seuls dans le bureau, la porte fermée. Ça m'a sauté aux yeux quand on a parlé ensemble du décès d'Ásta, en ton absence. J'ai fait exprès de lui poser les mêmes questions à ton retour pour que tu voies ses réactions.

– Tu as raison. Quelque chose en elle me dérange. Il faudra qu'on l'interroge à nouveau demain. Elle en sait plus qu'elle ne le dit.

8

L'homme qui leur faisait face avait le visage fatigué et malmené par les intempéries. Son regard, resté curieusement jeune, se perdait dans le vide. Abattu, Óskar se laissa tomber sur la chaise. Malgré son épais col roulé bleu, il semblait frissonner. Ce tremblement pourtant discret attira l'attention d'Ari Thór. S'asseoir dans une pièce face à deux officiers de police et faire une déposition liée à une enquête pour meurtre constitue une épreuve pour tout le monde, pensa-t-il. En tout cas, Óskar se montrait clairement déterminé à ne rien laisser échapper par erreur – il se contentait de répondre aux questions par des monosyllabes.

Pour faire sortir Óskar de sa coquille, Ari Thór décida d'aborder un nouveau sujet : son pays.

– J'imagine que Kálfshamarsvík n'a pas de secret pour vous ? dit-il avec un léger sourire.

Óskar, tout en acquiesçant, leva pour la première fois les yeux sur Ari Thór.

– C'est vrai qu'il y avait là-bas un village dans le temps ? On a du mal à le croire aujourd'hui.

– Bien sûr que c'est vrai. Il y avait un bourg dans les années 1900, avec quelques maisons sur la pointe et dans les environs. L'attraction, c'était la baie, vous comprenez. Les gars étaient tous pêcheurs. Les maisons étaient faites de tourbe, de bois et de pierre, mais elles ont toutes disparu. Vous devriez faire une promenade demain sur la pointe, à la lumière du jour. Vous verrez que les ruines sont encore là. Ils ont installé des pancartes pour signaler aux touristes les principaux sites.

Óskar s'était enfin réveillé. Comme la stratégie d'Ari Thór payait, il continua sur sa lancée.

– Que s'est-il passé ? Est-ce que le bourg s'est éteint de lui-même ?

– Pas tout de suite. De nouvelles maisons ont été construites au début du siècle. On y a même bâti une école, où les gens se retrouvaient pour danser. Mais la vie n'était pas une partie de plaisir dans ce temps-là. Les gens étaient très pauvres. Certains d'entre eux possédaient de petites fermes. En 1930, on comptait quatorze maisons – sur la pointe ou aux alentours – pour environ soixante-dix habitants, si ma mémoire est bonne.

– Soixante-dix ? répéta Ari Thór, surpris.

– Environ, confirma Óskar. D'après le recensement effectué vingt ans plus tôt, il y en a même eu davantage. Cet endroit a toujours été un joli port naturel, mais les conditions de vie étaient rudes. Il n'y a pas l'eau courante sur la pointe, et on chauffait les maisons en brûlant de la tourbe. Il fallait apporter tout ça là-haut.

Il garda le silence un moment.

– Quoi qu'il en soit, le bourg a commencé à décliner. En 1940, il n'y restait plus personne.

– Pour quelle raison ?

– Les gens disent que c'est à cause de la Dépression, de la chute des prix du poisson. La pêche n'était plus aussi bonne… Et puis plein d'autres choses s'y sont ajoutées… De nouvelles méthodes de pêche… Ils ont été nombreux à déménager plus bas sur la côte, à Skagaströnd. Ça se passe toujours comme ça. On s'installe là où la nature a quelque chose à offrir. C'est normal : nous sommes un peuple de pêcheurs. Aujourd'hui, ce pays part à vau-l'eau, ajouta-t-il. À qui la faute ? J'ai mon idée !

Il secoua la tête. Loin d'être éteint, son regard brillait maintenant de passion, même s'il parlait toujours d'une voix feutrée. Ari Thór ne savait pas comment réagir. Fallait-il seulement répondre ?

– Vous et votre sœur, vous avez des racines dans cette région ? demanda Tómas d'un ton aimable. Je vois que vous connaissez par cœur l'histoire de cette terre.

– Pas du tout. Notre mère est venue travailler ici quand on était petits. Notre père est parti à l'étranger peu après la naissance de Thóra. J'ai deux ans de plus qu'elle, vous savez.

– Vous et Thóra, vous avez donc décidé de rester vivre là où vous avez grandi ?

– Ce n'est pas aussi simple, dit Óskar en regardant ses mains.

– Comment ça ? demanda Tómas, affable.

– Il y a des années, Thóra est partie à Reykjavík pour ses études – c'est la grosse tête de la famille. Mais ça n'a pas marché. Quand elle est rentrée à la maison, malade, elle n'était plus que l'ombre d'elle-même. Elle a mis des années à s'en remettre, soupira Óskar.

– Malade ? releva Ari Thór. De quoi ?

– Eh bien… commença Óskar avant de lancer à Ari Thór un regard suppliant qui semblait dire « Ne me demandez pas d'approfondir ».

Mais Ari Thór attendit patiemment et, confronté à son silence déterminé, Óskar finit par répondre.

– C'est un sujet délicat, je préférerais ne pas en parler. Thóra pourra vous répondre. De toute façon, quel rapport avec ce qui nous occupe ?

– Il se peut que nous enquêtions sur un meurtre, répliqua Tómas. Chaque détail a son importance.

Óskar hésita un moment avant de reprendre la parole.

– Elle est devenue dépendante à la drogue.

Ari Thór s'attendait à tout, sauf à ça.

– Vous voulez dire toxico ? demanda-t-il d'une voix plus ferme qu'il ne le souhaitait.

– Je ne dirais pas ça, marmonna Óskar à voix basse. C'est son médecin. Il lui a prescrit des médicaments parce qu'elle avait du mal à se concentrer sur ses examens.

– Quel type de médicaments ?

– Des amphétamines.

Ari Thór eut une moue dubitative.

– On était plus insouciant à l'époque, expliqua Óskar. Ça a été une véritable tragédie. Thóra n'a pas eu de chance de tomber sur ce médecin. C'était un vieux monsieur, qui a continué de prescrire des amphétamines à ses patients jusque dans les années 1960. À mon avis, il faisait ça depuis toujours. Quoi qu'il en soit, elle ne l'a pas supporté et elle est rentrée à la maison, où elle a fait de terribles crises de manque.

Il se mit à hocher la tête comme pour accentuer ses propos.

– Elle a réussi à s'en sortir ?

– Oui, mais elle n'a pas eu le courage de retourner dans le Sud continuer ses études, et je pense qu'elle ne s'est jamais remise de cette déception. Cet épisode de sa vie l'a tuée, en quelque sorte, finit-il par murmurer.

– Tuée ? Comment ça ? demanda Tómas.

– Depuis, elle se méfie des docteurs, c'est le moins qu'on puisse dire, répondit Óskar à voix basse alors qu'il paraissait nerveux. On pourrait même dire qu'elle les déteste. Elle refuse obstinément de consulter. Pendant des années, elle s'est plainte de douleurs, mais elle n'a jamais voulu voir de médecin. Quand j'ai fini par la convaincre de se faire soigner, il était trop tard. Elle a une saloperie de cancer déjà bien avancé. La pauvre n'en a plus que pour quelques mois – peut-être un an, si on a de la chance. Elle refuse tous les traitements qu'on lui propose.

Ce fut un choc pour Ari Thór. Même s'il connaissait à peine cette femme, ce qu'il entendait lui faisait de la peine. Et son entretien avec elle lui apparaissait maintenant sous un jour différent.

– Ne lui dites pas que je vous ai mis au courant, dit Óskar, l'air triste.

– Qu'elle est condamnée ?

– Non, pour les amphétamines. C'est… un secret de famille, en quelque sorte. En ce qui concerne sa maladie, nos amis proches savent qu'elle n'en a plus pour longtemps, même si on en parle peu. C'est la vie.

C'est alors que Tómas posa la question qui brûlait les lèvres d'Ari Thór depuis un moment.

– Comment s'appelle le médecin responsable de tout ça ?

– Mon Dieu, je ne m'en souviens pas, dit Óskar avec un pâle sourire. J'ai une très mauvaise mémoire des noms. Tout ce que je peux vous dire, c'est qu'il est mort il y a des années. Ma mère en a fait toute une histoire à l'époque, mais elle n'est pas allée bien loin. Elle a porté plainte de manière officielle, et nous avons appris que Thóra n'était pas la seule victime de ses agissements.

Un silence s'installa. Ari Thór estima que c'était le moment idéal pour revenir à Ásta.

– Pensez-vous que la mort d'Ásta soit un accident ?

– Franchement, je n'en ai aucune idée. Peut-être que oui. Ou peut-être qu'elle a sauté.

– C'est en effet une possibilité, reconnut Ari Thór.

Si c'était le cas, à quoi avait-elle pensé lors de sa chute ? Il se remémora la photo, son regard aguicheur et son mystérieux sourire. Ásta avait décidément quelque chose de troublant.

– Et Sæunn ? Et Tinna ? demanda Ari Thór, qui préférait ne plus parler d'Ásta pour le moment. À votre avis, elles se sont suicidées, elles aussi ?

– Sæunn, peut-être. Vous connaissez la signification de son prénom, n'est-ce pas ? Une personne attirée par la mer.

Ni Tómas ni Ari Thór ne jugèrent utile de répondre. Il poursuivit.

– J'aime bien découvrir la signification des prénoms. Tómas, ça veut dire « jumeau », dit-il au policier. Et Ari ? Ça vient d'où, à votre avis ? Nous avons un lac Ari, au cap.

– Ari signifie « aigle », répondit Ari Thór.

Il avait l'impression de passer une épreuve orale.

– Ça me va bien, non ? plaisanta-t-il.

– En effet. Joli prénom. Mais prenez garde à ne pas voler trop haut, dit Óskar avec un demi-sourire.

– Ou trop bas, répondit Ari Thór. Et Óskar, ça veut dire quoi ?

Il y eut un moment de silence.

– « Ennemi », finit-il par lancer avec un sourire franc qui donna à Ari Thór la chair de poule.

– Qu'avez-vous au genou ? demanda-t-il en se renfonçant dans son siège.

– C'est à cause des rochers. Je suis allé nager en mer et au retour, j'ai voulu escalader la falaise.

– Là où elles ont trouvé la mort ?

– Pas loin. Il ne faut pas céder à la superstition.

– Vous vous baignez souvent dans l'océan ? demanda Tómas.

– Oui. Ça donne de l'énergie. Ce n'est pas facile de nager en ce moment, avec ma blessure, mais j'espère me remettre vite, même si l'âge n'aide pas. Je me débrouille quand même, j'arrive à me baigner en restant près du bord.

– Vous étiez parti nager, le soir où Tinna, la sœur d'Ásta, est morte ?

– En effet, répondit Óskar, apparemment surpris par la question.

– Et vous avez vu quelque chose ? lança Tómas.

– Non.

Difficile de déterminer, à ce seul monosyllabe, si Óskar mentait. S'il avait quoi que ce soit à cacher, il avait eu un quart de siècle pour s'assurer que le secret était bien gardé.

– En tout cas, je ne vois rien de surnaturel dans ces décès, ajouta-t-il.

– Reynir nous a parlé d'un endroit pas loin d'ici qui aurait été hanté en 1964. Des meubles qui se déplacent, de la vaisselle cassée...

– Pfff. Je ne crois pas une seconde à ces histoires de fantômes. Même s'il y a en effet eu pas mal de vaisselle cassée dans la région, sourit-il.

– Comment ça ?

– Il y a eu un important tremblement de terre en 1963. Je m'en souviens comme si c'était hier. La maison a tremblé, les tableaux sont tombés du mur, tout a dégringolé des étagères, on a même eu des murs fissurés. C'était en hiver, je me rappelle. J'étais tout seul à la maison avec ma mère. Thóra faisait ses études dans le Sud. Il était près de minuit, donc nous dormions profondément quand c'est arrivé. Tout ce fracas, ça nous a réveillés... On s'est précipités dehors et on n'a pas osé regagner la maison avant l'aube.

Óskar paraissait toujours ravi d'évoquer le passé.

– J'ai entendu parler de ce tremblement de terre à Siglufjördur et de l'impact qu'il a eu sur la ville, dit Ari Thór, qui s'enorgueillissait d'en connaître un tant soit peu l'histoire. Les cloches se sont mises à sonner et il y a eu une coupure générale d'électricité.

– D'après votre sœur, reprit Tómas, Ásta était très attachée à vous, pour ainsi dire. Vous étiez bons amis.

– Oui, on peut dire ça, grogna Óskar. Si tant est qu'on puisse parler d'amitié entre un enfant et un adulte. Elle avait sept ans quand elle est partie de chez nous. J'en avais dans les quarante... quarante-deux.

– Est-ce que vous aimiez naviguer, vous aussi ? demanda Ari Thór.

– Quoi ? Naviguer ? dit Óskar, perplexe, avant de comprendre. Comme Reynir et Ásta, vous voulez dire ?

Ari Thór acquiesça.

– Non, du tout. C'était leur passion à eux – celle de Reynir, surtout. Mais comme Ásta passait beaucoup de temps avec lui, elle rêvait de prendre la mer dès que le bateau serait prêt.

– Ce qu'elle a fait ?

– Non. Reynir a fini le bateau à la fin de l'été, après le départ d'Ásta. Elle nous a quittés juste après la mort de Tinna.

– Quel type de relation aviez-vous ? demanda Tómas.

Óskar prit le temps de réfléchir.

– Il était impossible de lui résister, finit-il par avouer. Elle était très difficile à table et boudait la plupart des plats que préparait Thóra – qui est pourtant très bonne cuisinière. Du coup, on avait notre petit rituel : quand elle était couchée, je lui apportais en douce quelque chose à manger dans sa chambre, avoua-t-il avec un sourire coupable.

On se mit soudain à toquer à la porte avec insistance. Ari Thór sursauta. La porte s'ouvrit et Hanna passa la tête dans l'entrebâillement.

– Je peux vous interrompre ?

Vu son expression, il s'agissait de quelque chose d'important.

– Merci, Óskar, dit Tómas. Ce sera tout pour le moment.

Óskar se leva et clopina jusqu'à la porte en s'aidant de sa canne. À ce moment précis, Ari Thór s'aperçut qu'il avait oublié de lui poser une question, mais laquelle ? Il n'aurait pas su le dire.

9

Hanna leur dit qu'à première vue, une lutte avait eu lieu à l'intérieur du phare. Il y avait sur l'une des portes, à côté de l'escalier, des traces de sang qu'on avait apparemment tenté de nettoyer.

– Si c'est le sang d'Ásta, dit Hanna sur un ton plus grave encore, alors elle a vraisemblablement été poussée. Sa tête a dû heurter le mur pendant la chute. Il n'y avait pas beaucoup de sang, mais le choc a pu lui faire perdre conscience, ou même la tuer.

Tómas émit alors l'idée à laquelle Ari Thór avait pensé.

– Morte ou inconsciente, il était facile de la jeter du haut d'une falaise. Depuis l'endroit où sa mère et sa sœur avaient perdu la vie.

Comme Reynir leur avait donné des indications précises, Tómas et Ari Thór eurent vite fait de gagner la ferme où vivait Arnór. Le bâtiment de tôle ondulée, construit sur deux niveaux, accusait son âge, et le vieux pick-up rouillé garé là contrastait avec le luxueux 4 × 4 garé dans la propriété du cap.

Ils furent d'abord accueillis par les jappements d'un chien avant de voir Arnór sortir de la maison à pas lents.

– Je vous attendais, dit-il. Arnór Heidarsson.

Ils se présentèrent à leur tour avant de le suivre jusqu'au salon. On respirait ici l'esprit de Noël bien plus que chez Reynir. À côté de la télévision se dressait un sapin aussi modeste qu'élégant, garni d'une guirlande de lumières bleues et rouges. Des cadeaux avaient déjà été disposés au pied de l'arbre, mais vu leur nombre, Ari Thór comprit qu'il n'y avait pas d'enfants dans la maison.

Il avait acheté pour Kristín une paire de boucles d'oreilles toutes simples et un livre. Ils s'étaient mis d'accord pour ne pas dépenser des sommes folles à Noël – ils préféraient économiser pour la naissance à venir.

La télévision avait été mise en sourdine. Assise à table, une femme de l'âge d'Ari Thór, ou peut-être un peu plus jeune.

– Thórhalla, ma femme, dit-il.

Elle se leva pour leur serrer la main. Elle avait l'air soucieuse et fatiguée.

– Je regrette, mais il va falloir qu'on parle avec votre mari en privé, dit Tómas.

Malgré son ton joyeux, on devinait qu'il s'agissait d'une affaire sérieuse.

– Je m'en doutais, répondit-elle avec un sourire forcé. Je monte à l'étage, chéri, ajouta-t-elle froidement à l'intention d'Arnór.

D'un geste de la main, Arnór les invita à prendre place autour de la table vieillotte. Une fois assis,

Tómas incita du regard Ari Thór à prendre la parole. Celui-ci ne se fit pas prier.

– Vous auriez la clé du phare ? demanda-t-il de but en blanc.

La question sembla prendre Arnór au dépourvu. Visiblement nerveux, il s'offrit le temps de réfléchir.

– Oui, répondit-il enfin. Óskar et moi avons les clés. Selon vous qu'est-il arrivé à Ásta ? Est-ce qu'elle a été… assassinée ?

Ari Thór n'avait aucune envie de lui faciliter la tâche.

– Vous voulez bien nous montrer la clé ?

Il eut à nouveau un moment d'hésitation.

– En fait… non. Je ne l'ai pas.

Ari Thór patienta, sans quitter des yeux le malheureux qui semblait se demander s'il fallait ou non s'enfoncer dans le mensonge.

– Je lui ai prêté, finit-il par avouer dans un soupir.

– À qui ?

– À Ásta.

– Quand ?

Encore une fois, il tarda à répondre.

– Juste avant le dîner… Le dernier jour… avant sa mort, je veux dire.

Curieusement, son débit s'accéléra.

– J'ai trouvé Ásta au pied du phare. Elle voulait entrer mais la porte était verrouillée, bien entendu. Donc elle m'a demandé si je pouvais lui prêter la clé, ce que j'ai fait. Elle voulait voir à quoi ressemblait l'intérieur, après toutes ces années.

– Pourquoi vous n'avez pas raconté ça aux policiers quand ils sont venus ?

La sueur se mit à perler sur le front d'Arnór.

Et ce n'est que le début, songea Ari Thór.

– Je ne pensais pas que ça avait de l'importance.

– Tout a de l'importance !

C'était la phrase préférée de Tómas. Comme quoi, il avait appris des choses auprès du doyen.

– Quelqu'un vous a vu ?

– Comment ça ? demanda-t-il d'une voix tremblante, comme si la question avait un sens caché.

– Quelqu'un peut-il confirmer ce que vous dites – qu'Ásta vous a demandé la clé et que vous la lui avez donnée ?

– Non, il n'y avait qu'Ásta. Quelle importance ?

Ari Thór sourit. À ce stade de la conversation, il suffirait de trois fois rien pour déstabiliser leur interlocuteur. Un simple sourire ferait l'affaire.

– Elle n'avait pas la clé sur elle ? demanda Arnór d'une voix désespérée.

Ari Thór lança un regard à Tómas avant de répondre.

– Apparemment, elle avait bien des clés sur elle. Mais on pensait que c'étaient les siennes. Elle avait dans la poche de son manteau un certain nombre de clés, dont des clés de voiture.

– Il faudra vérifier ça, glapit Arnór.

– Et donc, à quel moment vous avez couché avec elle ?

Il savait qu'il dépassait les bornes – il allait sans doute trop loin. Vu son expression, Tómas pensait la même chose.

Arnór perdit contenance.

– Comment ça ? À quel moment... ?

Il était temps pour Tómas de manifester sa présence.

– Désolés de nous immiscer dans votre vie privée, dit-il au grand dam d'Ari Thór. Mais nous avons besoin de savoir si Ásta et vous… eh bien, couchiez ensemble. De toute façon, nous le découvrirons grâce aux prélèvements effectués.

Le visage grave, Arnór planta son regard dans celui de Tómas, comme s'ils s'affrontaient au poker dans un duel à mort. Il lui fallait deviner si l'adversaire bluffait…

– Non. Je suis un homme marié. Je ne couche pas avec d'autres femmes.

– Vous vous rendez souvent à Kálfshamarsvík ? demanda Ari Thór.

– On peut dire ça, oui. Reynir n'a pas tellement le temps de s'occuper de la maintenance et compagnie, il est bien trop occupé à gagner de l'argent. Et ce pauvre vieil Óskar, à bientôt soixante-dix ans, s'est blessé au printemps dernier. Je l'aide au phare, même s'il est le gardien en titre. De toute façon, les phares sont quasi automatisés de nos jours, il ne reste plus grand-chose à faire.

– Et on vous paie pour tout ça ?

– Bien sûr. Reynir a les moyens, ce n'est pas l'argent qui lui manque. J'ai vécu ici toute ma vie, et nos propriétés ont toujours été liées d'une manière ou d'une autre. Après tout, nous sommes voisins.

Il prit une grande inspiration, comme pour encaisser le choc causé par cet entretien.

– Comme j'étais fils unique, j'avais plaisir à retrouver d'autres enfants sur la pointe. Reynir a quelques années de plus que moi, mais j'étais toujours le bienvenu chez eux. Et puis Ásta est arrivée… ajouta-t-il en souriant malgré lui. Elle avait trois ans de moins que moi. Quand elle est partie, ça a laissé un vide, mais d'autres gamins venaient parfois passer l'été là-bas.

– Est-ce qu'Ásta et vous êtes restés longtemps à discuter ? demanda Tómas.

– Pardon ? fit Arnór, pas sûr de comprendre le sens de la question.

– Au pied du phare, quand vous lui avez donné la clé.

– Non, affirma-t-il. On s'est assis quelques instants pour évoquer le passé.

Il y avait dans sa voix de la réticence... ou du regret.

– Où étiez-vous la nuit où Ásta est morte ? demanda Ari Thór, reprenant les rênes de la conversation.

– Ici, chez moi. Pourquoi cette question ? aboya Arnór.

– Vous êtes rentré chez vous après dîner ?

– Tout à fait. Je suis rentré me coucher.

– J'imagine que votre femme...

Ari Thór fit un effort pour retrouver son nom.

– ... Thórhalla, reprit-il, pourra nous le confirmer ?

– Bien sûr, affirma-t-il.

Avec un peu trop d'assurance, jugea Ari Thór.

– Vous vous rappelez quand la sœur d'Ásta est morte ? Est-ce que vous vous trouviez sur la pointe ce jour-là aussi ?

Cette fois, il ne tarda pas à répondre.

– Comment oublier une chose pareille ? Mais non, je n'étais pas dans les parages.

– Que s'est-il passé, selon vous ?

– Aucune idée. J'avais dix ans à l'époque, et on ne m'a pas expliqué grand-chose en dehors des faits eux-mêmes. Mon père passait tout son temps sur la pointe, mais il a tenu à m'épargner les détails de l'accident. Il avait peut-être peur que je fasse des cauchemars... ajouta-t-il avec un demi-sourire.

– Un accident ? Pour vous, c'est un accident ? demanda Ari Thór, prudent.

– Bien sûr. Quoi d'autre ? Vous voyez un enfant décider de sauter du haut d'une falaise, vous ? dit-il en secouant la tête.

– Non, reconnut Ari Thór.

Il préférait ne pas faire part de ses doutes pour le moment.

– Vous deviez avoir huit ans quand leur mère est morte.

– Ça me paraît juste.

– Où étiez-vous, cette nuit-là ?

– Qu'est-ce que vous insinuez ? s'insurgea Arnór en criant presque. Qu'à l'âge de huit ans j'ai tué une femme, avant de m'en prendre à ses deux filles vingt-cinq ans plus tard ? Je les aurais poussées dans le vide, c'est ça ? Ça suffit maintenant ! dit-il en bondissant sur ses pieds.

– Du calme, fit Tómas sans bouger de son siège. On n'insinue rien du tout. La mort d'Ásta ressemble à celles de sa mère et de sa sœur, et nous sommes là pour faire la lumière sur ces décès. Ils peuvent être liés ou non à des événements survenus sur la pointe.

Arnór se rassit.

– Quand bien même. Je n'aime pas vos manières.

– Parlez-nous d'Ásta, reprit Ari Thór.

– Une chose est sûre : elle savait ce qu'elle voulait. Je ne l'ai connue qu'enfant, mais quand je l'ai retrouvée, elle n'avait pas changé. Je crois qu'elle gardait ses distances avec les gens, consciemment ou non.

C'est son regard, sans doute, qui me donnait cette impression – même quand elle vous regardait droit dans les yeux, elle semblait ailleurs, perdue. Vous voyez ce que je veux dire ?

– Je crois, dit Ari Thór, qui gardait en tête son air absent sur la photo. J'ai vu des portraits d'elle.

Arnór hocha la tête.

– Et ce repas, alors ? Est-ce qu'Ásta s'est comportée comme prévu ?

Arnór sourit.

– Bonne question. Comment était-elle censée se comporter ? Aucune idée. C'était un bon dîner, et son attitude m'a paru normale. Reynir l'avait installée dans sa chambre de petite fille, au grenier. Tout le monde n'aurait pas apprécié, mais Ásta a très bien réagi. Elle se mettait rarement en colère.

– Est-ce que votre femme a assisté au dîner ?

– Thórhalla ? Non. Elle a ses amis, j'ai les miens.

– De quoi avez-vous parlé, à table ?

– Je ne me souviens pas. De choses et d'autres.

Il prit un moment pour réfléchir.

– Je me rappelle qu'Ásta a dit ne pas regretter le silence de la campagne, et qu'elle travaillait actuellement à sa thèse. Je ne sais pas si elle disait la vérité, mais en tout cas, elle avait envie de profiter de la campagne et de la mer.

Il s'interrompit à nouveau, plus longuement cette fois. Il semblait immergé dans le passé. Puis il regarda Ari Thór droit dans les yeux.

– On raconte qu'elle a assisté à la mort de sa sœur – qu'elle a vu la scène depuis la fenêtre du grenier. Si la mort de Tinna n'est pas un accident, alors Ásta a dû voir quelqu'un la pousser dans le vide.

– C'est pour ça qu'elle est revenue ici, à votre avis ? demanda Ari Thór.

– Ça se pourrait, répondit-il, l'air pensif. Peut-être qu'elle venait régler de vieux comptes avant qu'il ne soit trop tard.

Ari Thór lui aurait volontiers demandé de préciser sa pensée, mais Tómas prit la parole.

– Vous connaissez la vue, depuis le grenier ? Vous avez déjà contemplé la falaise de là-haut ?

Arnór réfléchit plus longtemps que nécessaire avant de répondre.

– Je ne me rappelle pas. Ou alors il y a longtemps. Mais je crois que cette chambre sert de débarras depuis des années, et je n'ai rien à y faire.

– Vous n'y êtes pas monté avec Ásta le soir qui a précédé sa mort ? tenta Tómas. Après le dîner ?

Arnór s'emporta à nouveau.

– Non ! Je ne suis pas resté avec elle après le dîner. Je n'ai pas couché avec elle et je ne l'ai pas tuée !

Tómas se leva, suivi par Ari Thór.

– Nous aimerions échanger quelques mots avec votre femme, dit Tómas d'une voix ferme.

Arnór marmonna dans sa barbe avant de l'appeler. Elle apparut dans la seconde, comme si elle les avait espionnés.

– Vous voulez que je monte à l'étage ? demanda Arnór d'un ton sarcastique. J'imagine que vous allez vérifier avec elle mon emploi du temps.

– Si ça ne vous dérange pas, répondit Ari Thór, même s'il savait que ça ne changerait rien à l'affaire : ils avaient eu largement le temps d'accorder leurs violons.

Arnór quitta la pièce et Thórhalla s'assit avec un sourire gêné. Elle ne les invita pas à faire de même.

– Comme vous le savez, nous enquêtons sur la mort d'Ásta Káradóttir, commença Tómas sur un ton solennel.

Elle hocha la tête.

– Arnór se trouvait-il ici la nuit de sa mort ?

– Oui, affirma-t-elle sans hésiter. Toute la nuit. Il est rentré après avoir dîné au cap.

– Vous n'avez pas dîné avec lui ? Pourquoi ?

– Je n'aime pas ce genre de soirées, dit-elle, embarrassée. Je préfère rester chez moi. Ça fait longtemps que plus personne ne m'invite.

– Il a passé toute la nuit ici, dites-vous ?

– Toute la nuit, répéta-t-elle.

– Comment le savez-vous ? Vous n'êtes quand même pas restée éveillée toute la nuit ?

– Bien sûr que non, répondit-elle, surprise. Mais s'il était sorti, je pense que je m'en serais aperçu. Ça m'aurait réveillée.

– Et lui ? demanda Ari Thór.

– Lui ? Comment ça ? demanda-t-elle, nerveuse.

– Si vous étiez sortie, il l'aurait remarqué ?

– Moi ? Pourquoi je... ?

Ari Thór croisa le regard de Tómas.

– Merci de nous avoir reçus, dit-il.

10

Rien à voir avec la maladie – elle n'y pensait plus, ou plus autant qu'avant, et pourtant Thóra se sentait toujours envahie par une grande tristesse. Le décès d'Ásta, si cruelle et si inattendue, plongeait le cap dans la désolation en rappelant à ses habitants que la mort, sous toutes ses formes, n'était jamais loin.

Peut-être qu'elle regrettait tout simplement de ne pas profiter de l'ambiance de Noël. Ásta avait tout gâché en venant à Kálfshamarsvík... pour y trouver la mort.

La nuit précédant le réveillon se devait d'être joyeuse, comme dans les souvenirs d'enfance que Thóra s'efforçait de convoquer chaque année. Sa mère s'était toujours attachée à faire de Noël un moment exceptionnel, même dans les pires circonstances. La soirée du 23 était consacrée aux ultimes préparations : on décorait le sapin et on emballait les derniers cadeaux avant de les disposer au pied de l'arbre, au son des vœux de Noël diffusés sur les ondes nationales. C'est aussi cette nuit-là que débarquait en ville le dernier des treize lutins de

Noël[1]. Petite fille, Thóra posait sa chaussure près d'une fenêtre dans l'espoir que chaque lutin lui offre un joli cadeau. Le dernier, qui arriverait le 24 au matin, s'appelait le Mendiant-à-la-Bougie – il était donc souhaitable de laisser une bougie à son intention.

Cette année, Thóra attendait Noël avec plus d'impatience encore. Sauf miracle, elle pensait que ce serait son dernier réveillon.

Assis au piano, Óskar restait muet. Parfois, il se mettait à jouer ce fameux air. Du Schubert, si l'on en croit le jeune officier de police. Pourquoi ne lui avait-elle jamais demandé ce qu'il interprétait ? Elle savait si peu de choses sur son frère, au bout du compte... Qu'est-ce qui le motivait ? Comment avait-il pu vivre ici tout ce temps sans jamais avoir envie de s'échapper ? La même routine, chaque année... Même les journées se ressemblaient, bon sang !

Au moins, elle avait tenté sa chance ailleurs. Ce qui donnait un sens à sa vie. Óskar avait gâché la sienne, il lui faudrait un jour le reconnaître.

Pourtant, il était toujours fort comme un chêne, alors qu'elle se trouvait dans l'antichambre de la mort. Il lui survivrait à tous les coups. Quel usage ferait-il du temps qui lui restait à vivre ? Il se traînerait sans doute jour après jour dans un état second, au ralenti et en pilote automatique, gaspillant sa vie jusqu'au bout.

Assis sur le canapé, Reynir avait sorti une bouteille de whisky hors de prix. Thóra sirotait le vin rouge qu'il lui avait offert. Son éducation – si tant est

1. En Islande, il n'y a pas de Père Noël mais treize lutins qui descendent un par un en ville entre le 12 et le 24 décembre pour jouer de mauvais tours aux habitants.

qu'il en ait reçu une – lui avait inculqué le goût du luxe. Sa mère était morte jeune, et son père, quand il n'était pas absent, restait à distance.

Thóra avait fait de son mieux pour élever Reynir elle-même, sans jamais glaner un seul remerciement. Sans doute n'était-elle pas en mesure d'exiger quoi que ce soit en retour.

La police s'affairait là-bas dans l'obscurité ou, plus probablement, à l'intérieur du phare. Les deux policiers auxquels elle avait parlé l'autre jour ne reviendraient pas de la journée, mais elle savait les deux autres encore sur place, au phare. Après avoir frappé à la porte, la jeune femme les avait aimablement informés qu'il leur faudrait passer le phare au peigne fin et qu'ils y resteraient jusque tard dans la soirée. Elle n'avait pas fourni d'informations plus détaillées sur leurs faits et gestes.

Dans le salon, une douce musique de Noël défiait l'air joué au piano par Óskar. Après avoir récupéré dans l'ancienne chambre de Tinna, au grenier, un carton de guirlandes, Thóra avait passé une partie de la journée à décorer le sapin de Noël. Monter là-haut lui donnait encore des frissons. La mort de la petite fille avait quelque chose de profondément dérangeant ; et à ses yeux, les événements survenus des années auparavant hanteraient pour toujours ceux qui occupaient la maison.

Mais il n'y avait pas que ça. Thóra s'offusquait aussi de tous ces secrets gardés jalousement. La plupart du temps, elle les taisait, bien sûr, mais elle se targuait de savoir sur quelles consciences ils pesaient. Óskar était si cachottier lui aussi ; pourquoi diable s'isolait-il toute la journée ? Inutile de lui poser la question. Ils avaient de leurs vies privées respectives un trop grand respect. Et de toute façon, il ne lui dirait jamais.

Avait-elle abusé du vin rouge ? Il avait fait surgir en elle un démon. Elle avait envie de briser la glace, de creuser un peu, consciente qu'il ne lui restait pas longtemps à vivre, et que ce pourrait être sa dernière chance de faire éclater la vérité.

Elle posa son verre et se mit à accrocher quelques décorations supplémentaires au sapin. Elle en avait presque terminé quand on toqua à la porte. Vu son genou blessé, il n'était pas question de laisser Óskar ouvrir, et Reynir n'avait pas l'air de vouloir bouger, donc elle finit par y aller, comme d'habitude.

Elle s'attendait à tomber sur la jeune femme de la police qui lui annoncerait la fin des opérations, mais c'est Arnór qui se tenait sous ses yeux, dans le froid.

– Bonsoir, dit-il avant d'entrer sans y être invité.

– Arnór, mon garçon, entre, lança Reynir depuis le salon. Viens t'asseoir.

Il salua Thóra et Óskar d'un signe de tête.

– Venez vous joindre à nous, tous les deux. On va boire un verre en souvenir d'Ásta. Elle le mérite bien. C'est vraiment affreux, ce qui lui est arrivé, mais il faut qu'on reste soudés. Oublions le passé…

Ils s'assirent tous les quatre en demi-cercle autour de la table, Thóra avec son verre de vin tandis que les autres sirotaient du whisky. *Réunis par la mort de celle que personne ne connaissait vraiment*, songea Thóra, pour tenter en vain de faire le deuil de sa mémoire. Thóra n'y voyait rien d'autre que de l'hypocrisie – à ses yeux, chacun d'eux se préoccupait avant tout de lui-même.

– Thórhalla est partie se coucher, mais je n'arrivais pas à dormir, avança Arnór pour justifier sa visite. Ce n'est pas tous les jours qu'on se fait cuisiner par la police juste avant d'aller au lit…

Il prit une gorgée de whisky.

– Pareil, dit Reynir. Ça ne m'arrive pas souvent non plus.

– Ils n'ont pas bougé, annonça Thóra, curieuse de voir comment Arnór réagirait.

– Quoi ? Qui donc ?

– La police. Ils sont toujours en train de ratisser le phare.

– Le phare ? Pour quoi faire ? s'étonna-t-il.

– Aucune idée. L'enquête ne donnera rien. Cette femme s'est jetée du haut de la falaise, comme sa sœur, et comme sa mère avant elles. C'est génétique, voilà tout, affirma-t-il, péremptoire.

– Est-ce qu'ils ont trouvé quelque chose ? s'enquit Arnór, visiblement nerveux.

– Si c'est le cas, ils gardent ça pour eux, fit Thóra. Ils sont là depuis un bon moment, et j'imagine qu'ils fouillent le moindre recoin. Je vous laisse tirer vos propres conclusions.

Elle marqua une pause avant de reprendre la parole.

– Est-ce qu'Ásta s'est rendue au phare ? demanda-t-elle en regardant chacun des trois hommes.

Ils n'avaient pas l'air pressé de répondre. Arnór se résolut à parler.

– Je lui ai prêté la clé, avoua-t-il, l'air piteux. Elle disait qu'elle voulait y jeter un coup d'œil, et je ne voyais aucune raison de refuser. Mais je ne sais pas si elle y est allée, en fin de compte.

– C'est justement la question qu'on nous a posée, dit Óskar. Si on avait la clé du phare. J'ai confié la mienne aux policiers.

– Tu as la tienne ? demanda Reynir en se tournant vers Arnór.

– Ma clé ? répéta Arnór. En fait, non. Ásta ne me l'a pas rendue... elle...

– Ça pourrait te causer des soucis. J'espère qu'ils l'ont retrouvée sur elle, soupira Reynir.

– J'espère aussi ! dit Arnór, dont la respiration s'emballait. Quel cauchemar. Vous auriez vu leurs têtes... Encore heureux qu'ils ne m'aient pas enfermé pour la nuit !

– Ils n'enfermeront personne, affirma Reynir. Cette enquête est une honte. On dirait qu'ils nous tiennent en otages, tout ça à cause d'une fille qui est revenue ici se suicider.

– Ils m'ont posé des questions sur Sæunn et Tinna, dit Thóra. J'ai l'impression qu'ils cherchent un lien entre ces décès.

– Absurde, lâcha Reynir. S'il n'y a pas de cause génétique, comme je l'ai dit, quelque chose dans leur sang, alors c'est qu'il règne au cap des forces que nous ne maîtrisons pas.

– Des fantômes ? demanda Óskar, les yeux fixés sur Reynir.

– Des forces surnaturelles, répondit Reynir.

Pourquoi se met-il à parler de fantômes, celui-là ? songea Thóra.

– N'importe quoi, dit Óskar. Nous habitons un endroit paisible, d'une grande beauté. Parler de fantômes, à ton âge ? Ridicule ! Tous les malheurs qui nous sont arrivés ont été provoqués par des personnes bien vivantes, de manière directe ou indirecte, consciente ou inconsciente.

– Tu veux dire qu'Ásta a été poussée dans le vide ? demanda Arnór.

– Non, ce n'est pas ce que je veux dire. Je pense qu'elle s'est jetée toute seule, et qu'elle était sans doute revenue dans ce but.

Assommée de fatigue physique et nerveuse, Thóra soupira. Óskar la regarda du coin de l'œil.

– Ça va, Thóra ?

– Je suis épuisée, c'est tout.

– Quelle épreuve ça doit être, dit Reynir. Surtout dans ton état.

– Dans mon état, en effet. Certaines choses reviennent vous hanter – elle prononça ce mot avec dédain – quand on pense aux vieux amis et au temps qui passe. Je dois avouer que le souvenir de Sæunn, Kári, Tinna et Ásta m'obsède, surtout après ce qui s'est passé. Sans parler de Sara, évidemment.

Elle avait prononcé le dernier nom à voix basse, en lançant un bref regard à la personne concernée. Et cette personne, malgré tous ses efforts, fut incapable de dissimuler sa peur.

Thóra sourit avant de continuer à soulager sa conscience.

– Bien sûr, pour Sæunn, nous n'étions pas tout seuls la nuit où elle est morte.

À en juger par son expression, Óskar savait où elle voulait en venir. Reynir, au contraire, fut surpris.

– Comment ça ? Il y avait nous deux, Óskar, bien sûr, Kári et les filles. J'ai oublié quelqu'un ?

– En ce qui me concerne, je n'étais pas là, si c'est à moi que tu penses, s'insurgea Arnór. On ne peut vraiment être tranquille nulle part, hein ? s'énerva-t-il.

– Calme-toi, enfin ! intima Reynir en lui remplissant son verre. Personne ne t'accuse de quoi que ce soit, dit-il en jetant un regard à Thóra.

– Bien sûr que non. Ce n'est pas à toi que je pensais, Arnór, assura-t-elle. Et ça ne sert à rien de déterrer les cadavres. Sauf certains, s'amusa-t-elle.

Tout en sirotant son vin, elle observait les trois hommes et tentait de déceler le sentiment qui les animait : peur, incertitude, inquiétude... Ses yeux se posèrent sur son frère pour s'y attarder un long moment.

– Il se joue d'étranges parties de cache-cache par ici, finit-elle par lancer. Il y en a qui s'enferment la moitié de la journée sans donner d'explications, par exemple. Je comprends tout à fait que ces policiers enquêtent sur les décès de Sæunn et Tinna. Je me demande même pourquoi ils ont attendu si longtemps. Il y a quelque chose de louche là-dedans, c'est sûr, mais à l'époque, il était plus facile pour tout le monde de boucler l'affaire en prétendant qu'elles s'étaient suicidées, ou qu'il s'agissait d'accidents. On ne fait pas de vagues, ça arrange tout le monde.

Elle leva les yeux vers Reynir.

– Surtout ton père.

Reynir s'efforça de rester calme.

– Comment ça ? Papa ne ferait pas de mal à une mouche.

– Ton père était un homme puissant, et riche aussi. Les gens veillaient à ne pas se le mettre à dos. Ça se passait comme ça en Islande autrefois, mon garçon.

– De nos jours aussi ! lança Óskar.

– Au moins la police est intervenue cette fois, et ils ne sont pas là pour amuser la galerie, même si Reynir est un gros bonnet, fit remarquer Thóra.

– Tu ne mâches pas tes mots, dit Reynir avec un sourire forcé avant de se tourner vers Óskar et Arnór. Et je vais faire pareil. Dites-moi, messieurs, lequel de vous deux a couché avec Ásta ?

Faisant celui que rien ne choque, Óskar répondit en souriant.

– Quelle question délicate, dit-il. J'imagine qu'elle s'adresse à Arnór plus qu'au vieil homme que je suis devenu, avec sa carcasse épuisée, son genou blessé et son visage fatigué.

– Arnór ? relança Reynir en le fixant de ses yeux menaçants.

– Tu penses que quelqu'un a… couché avec Ásta ? Pourquoi ? demanda Thóra avant qu'Arnór puisse réagir.

– C'est ce que la police a laissé entendre. Et comme ce n'est pas moi, il ne reste plus beaucoup d'options.

Arnór était à deux doigts de se lever.

– Qu'est-ce que ça veut dire, toutes ces insinuations ?

– Désolé, Arnór, mais ce ne sont pas des insinuations, dit Reynir. Ásta a toujours été jolie fille. Vous aviez à peu près le même âge, donc je ne serais pas surpris…

– Tu parles à un homme marié, Reynir, dit-il avec force avant d'avaler une grande gorgée de whisky.

– Je le sais bien. Mais est-ce qu'elle le savait, elle ? Ce n'est pas comme si tu portais ton alliance en permanence…

Arnór commençait à transpirer à grosses gouttes.

– Je passe mes journées dehors et je fais un travail manuel. Mon alliance me gênerait, et j'aurais peur de la faire tomber dans l'herbe.

– Ou dans la mer, murmura Óskar.

– On ne pourrait pas parler d'autre chose... que d'Ásta ? demanda Arnór. Je ne voudrais pas qu'on en vienne à se disputer. On se connaît tous... depuis qu'on est nés. Il faut qu'on reste soudés, dit-il avec un sourire forcé.

– Tu as raison, confirma Reynir. Reste avec nous ce soir. Je t'interdis de refuser. On va continuer de trinquer en parlant du passé... du bon vieux temps... Oublions cette fille qui a tout gâché. Et oublions aussi ces policiers tordus. Qu'en pensez-vous ?

Arnór acquiesça.

– Ça me va !

11

Cette fois encore, Tómas, Ari Thor et Kristín étaient les trois seuls clients attablés au restaurant de l'hôtel qui, à près de minuit, faisait office de bar. Derrière le comptoir, un homme d'âge moyen en chemise rouge à carreaux leur jetait parfois un regard. Impatient de fermer la salle, il ne tenait pas pour autant à mettre ses clients dehors, surtout quand deux d'entre eux appartenaient à la police.

Posément, Tómas avait fait le point sur l'enquête, sans se soucier de la présence de Kristín. Cela dit, elle n'avait guère participé à la conversation : elle se contentait de siroter sa limonade pendant que Tómas et Ari Thór buvaient leurs bières.

– Je dois dire, commença Tómas, l'air pensif, que ça ne se présente pas bien pour Arnór, le pauvre. La fille a probablement été tuée à l'intérieur du phare, avec sa clé à lui dans la poche.

Avant de quitter Thórhalla et Arnór, ils lui avaient demandé de décrire la clé. Il avait dit qu'il s'agissait d'une clé unique, attachée à un porte-clés rouge sans étiquette. Sur la route de Blönduós, Ari Thór appela

Hanna pour savoir à quoi ressemblaient les clés trouvées sur le corps, et il s'avéra que la clé du phare comptait parmi elles.

– S'il l'avait tuée, il aurait veillé à reprendre la clé, non ? demanda Kristín, qui leur fit la surprise de se joindre à la conversation.

Hochant la tête, Tómas confirma d'un sourire.

– Logiquement, oui. Mais une personne qui vient de commettre un meurtre, sans doute sur un coup de sang, ne pensera pas forcément de manière logique. Cela étant, peut-être qu'il dit la vérité… Peut-être qu'il lui a prêté la clé et qu'il ne l'a plus jamais revue par la suite.

– Tu pars du principe qu'elle a été tuée dans le phare ? demanda Kristín.

– Ça semble le cas, répondit Ari Thór. C'est l'avis des deux personnes de l'équipe médico-légale.

– Donc Ásta et son amoureux s'étaient donné rendez-vous là-bas ?

– Tu crois ? demanda Tómas.

Il avait la manie de répondre aux questions par d'autres questions, comme s'il était en service, même à la troisième bière.

– Oui… des marques dans le cou, une activité sexuelle juste avant le décès. C'est bien ce que tu as dit ?

– Exact, confirma Tómas.

– Est-ce qu'il ne s'agirait pas d'un jeu sexuel particulièrement violent qui aurait mal tourné ? Le coupable aurait traîné le cadavre jusqu'à la falaise avant de le pousser dans le vide pour cacher son méfait, en espérant qu'on se hâterait de conclure au suicide ou à l'accident, comme pour les morts de sa sœur et de sa mère ?

– C'est une hypothèse comme une autre, dit Tómas avec un sourire.

– C'est celle de tout le monde, non ? demanda Kristín en lui rendant son sourire.

– Pas tout à fait... murmura Tómas, l'air gêné.

– Est-ce qu'on va vraiment pouvoir rentrer chez nous pour Noël, comme tu l'as promis ? demanda Ari Thór.

En changeant de sujet, il sortait Tómas de l'embarras.

– Je n'ai rien promis, précisa doucement Tómas. Mais ça devrait être faisable. J'aimerais bien voir Hanna et Mummi avant d'aller me coucher.

Il jeta un coup d'œil à sa montre.

– Je leur ai demandé de passer avant de rejoindre leurs chambres. Demain, on commence tôt et on retourne au cap. Si rien ne se présente, on devrait pouvoir prendre notre après-midi.

L'expression « si rien ne se présente » signifiait que l'enquête était loin d'être bouclée, et qu'un élément nouveau allait sans doute faire surface – sa formulation le garantissait presque. Vu son expression, Kristín semblait penser la même chose. Ari Thór ne réagit pas, il préférait garder espoir.

– Bien, dit-il gaiement pour cacher ses doutes. Si la météo ne change pas, on pourra regagner Siglufjördur, Kristín et moi. Tu retournes dans le Sud ?

Tómas hésita un court instant avant de répondre.

– J'y compte bien, même si rien n'est sûr. Il vaudrait mieux que quelqu'un reste... au cas où il y ait du nouveau.

Il avait beau sourire, nulle trace d'humour dans son propos.

– On gagne en estime auprès de la hiérarchie – et des autres – quand on passe Noël dans un hôtel loin de la ville. Je m'en réjouis d'avance...

– En plus, ils passent du Elvis au bar : *I'll Be Home For Christmas*[1], fit remarquer Ari Thór.

Tómas se mit à rire.

– C'est vrai...

– Retourne chez toi si tu en as l'occasion. Ne laisse pas ta femme passer les fêtes de Noël toute seule. Ça m'est arrivé une fois, et crois-moi, je l'ai bien regretté.

Il se rapprocha de Kristín et glissa son bras autour de ses épaules. Il planta ses yeux dans les siens mais elle lui retourna un regard impassible. Voilà longtemps qu'ils étaient ensemble, ils attendaient même un enfant, mais apparemment, il y avait des sujets avec lesquels on ne plaisantait pas.

– On verra, dit Tómas à voix basse. Notre garçon sera là, ce n'est pas comme si elle était toute seule.

Comme souvent, Ari Thór avait du mal à interpréter son ton et son expression.

– Mais je suis étonné que tu acceptes de voyager alors que tu es enceinte, dit Tómas à Kristín.

– De voyager ?

– Oui... de faire des allers-retours en plein hiver. Tu ferais peut-être mieux de passer Noël à Blönduós.

– On va se débrouiller, intervint Ari Thór, froissé qu'il se mêle de ses affaires.

Lui et Kristín avaient décidé que ni la grossesse, ni l'enfant à venir n'auraient priorité sur le reste. Kristín s'en était bien accommodée jusque-là. Elle n'avait pas trop de nausées, mais elle se fatiguait

1. « Je serai rentré pour Noël ».

rapidement et ses sautes d'humeur étaient encore plus spectaculaires.

Souvent, il avait senti l'enfant bouger dans le ventre de sa compagne et donner des coups de pied avec une belle énergie. Quelle sensation étrange ! Tout prenait forme, la réalité s'imposait à lui. Était-il mûr pour le rôle de père ? Ari Thór n'en avait aucune idée, même si c'était son choix. Quand ils avaient décidé d'avoir un enfant, la naissance lui apparaissait comme un événement lointain, mais ce coup de pied donné *in utero* par un être sur le point de venir au monde le ramenait à la réalité.

Ils n'avaient pas encore décidé quel prénom donner au bébé. Ari Thór avait mis le sujet sur le tapis deux ou trois fois, mais Kristín refusait d'en parler avant la naissance, avant de connaître le sexe de l'enfant. Dans son esprit, un seul nom s'imposait si c'était un garçon : Ari Thór Arason. Son nom à lui, mais surtout celui de son défunt père. Kristín ne serait sans doute pas très favorable à cette idée. Bien sûr, il pourrait s'agir d'une fille. Dans ce cas, il aimerait bien lui donner le nom de sa mère, mais curieusement, il avait des idées moins arrêtées sur le sujet.

Cela dit, il s'attendait à un garçon. Il le sentait, il en était certain.

La présence de Kristín à ses côtés le soulageait. En fin de journée, il pouvait échanger avec elle, et ça lui faisait du bien. Elle était très maline et comprenait souvent plus vite que lui, mais il n'avait pas souvent l'occasion de discuter avec elle des enquêtes difficiles. Depuis qu'il avait déménagé dans le Nord, il avait travaillé sur un certain nombre d'affaires plutôt intéressantes – trois gros dossiers, et un vieux mystère à résoudre – mais il n'était pas non plus submergé de travail. Puisqu'il n'avait pas été retenu pour le poste d'inspecteur à Siglufjördur, il était peut-être temps pour lui de postuler au sein du département de Tómas à Reykjavík. Mais pouvait-il exiger de Kristín qu'elle quitte son travail à l'hôpital d'Akureyri pour retourner vivre à Reykjavík avec lui ? S'il avait obtenu le titre d'inspecteur, il lui aurait été plus facile de justifier sa demande, mais les rouages de la police en avaient décidé autrement.

– Vous feriez mieux d'essayer de cerner la personnalité d'Ásta, non ? suggéra Kristín.

Ari Thór s'extirpa de ses pensées et se cala dans son siège pour laisser Tómas répondre.

– Ce n'est pas facile. Apparemment, sa vie n'a été qu'une longue tragédie. Elle a d'abord perdu sa mère, puis sa sœur, ensuite on l'a envoyée vivre chez sa tante, et pour finir elle a perdu son père, qui n'avait déjà plus toute sa tête. Apparemment, elle aurait aussi vu quelqu'un pousser sa petite sœur Tinna dans le vide, même si j'ai du mal à imaginer comment on peut faire une chose pareille.

– Comment ça ? demanda Kristín. Tu crois qu'elle a assisté à la scène ?

– Oui, c'est ce qu'affirme Thóra, la vieille dame. Ásta lui a confié avoir vu quelque chose depuis la fenêtre du grenier, raison pour laquelle on l'aurait chassée de la maison. De là-haut, on aperçoit le bord de la falaise ; c'est la seule fenêtre de la maison à être orientée dans cette direction.

– Quelle horreur, soupira Kristín. C'est terrible.

– Elle dit sûrement la vérité. Voilà pourquoi elle n'a jamais réussi à avoir une vie stable… Elle n'a pas vraiment fait d'études et elle avait de gros soucis d'argent. Est-ce que tu as passé en revue le dossier dans la voiture, Ari Thór ?

Celui-ci repensa à la liasse de documents qu'il avait posée au pied de sa chaise. Il avait hâte d'en finir, d'oublier Ásta, son portrait, son sourire, au moins jusqu'au lendemain. Ils avaient trop de points communs tous les deux. Il partageait sa douleur, il aurait aimé pouvoir la rencontrer, la consoler, lui dire qu'il était possible de guérir du passé – de s'affranchir de ses parents – d'aller plus loin, de faire mieux et de vivre plus longtemps qu'eux.

Il ramassa le dossier d'un geste las.

– Oui, je l'ai rapidement passé en revue, dit-il en le tendant à Tómas.

– Inutile de me le rendre, bon sang ! J'ai passé toute ma journée d'hier à le lire. Il faudra que tu le potasses en entier ce soir. Tu as l'esprit fin, j'ai confiance en toi.

Au même moment, Ari Thór perçut des bruits de pas accompagnés de bribes de conversation. Il leva les yeux : Hanna entrait dans le restaurant, suivie de Mummi. Vu son air lugubre, il aurait tout donné pour se trouver ailleurs, de préférence chez lui.

– Bonsoir, lança Hanna en s'asseyant à côté de Tómas.

Mummi resta debout, mal à l'aise, comme s'il n'y avait plus aucun siège disponible.

– Assieds-toi, mon gars, lui dit Hanna. Ça ne prendra pas plus de temps.

– Tu arrives pile au bon moment, dit Tómas. J'ai presque fini ma bière.

Mummi s'assit sans dire un mot, l'air gêné.

– Qui est cette jeune femme enceinte ? demanda Hanna avec un sourire.

– Je suis Kristín, la compagne d'Ari Thór.

– Enchantée, fit Hanna en jetant un coup d'œil à Tómas. J'imagine que je peux parler librement, même en présence d'une invitée ? Je constate que le dossier se trouve ici, à la disposition de tous.

Elle sourit. Tómas acquiesça.

– Je vais d'abord vous commander une autre bière, dit-elle en interrogeant du regard Ari Thór, lequel secoua la tête en lui montrant sa bouteille à moitié pleine.

Hanna tenta en vain d'attirer l'attention du serveur, le même employé qui les avait accueillis à leur arrivée. Il semblait tenir tous les postes dans cet hôtel, y compris peut-être celui de manager. Il parlait d'une voix guindée, en utilisant des formules de courtoisie d'un autre âge.

Hanna fit une croix sur la politesse, elle claqua des doigts si fort que toute la salle en résonna. Le barman leva aussitôt la tête et s'approcha à pas lents, le visage toujours impassible.

– Mademoiselle ? Vous désirez ?

– Voyons voir, réfléchit-elle. Une bière pour monsieur, dit-elle en posant sa main sur l'épaule de Tómas avant de tourner son regard vers Mummi. Un verre d'eau pour ce joyeux luron ; et vous auriez du sambuca, par hasard ?

– Bien sûr, mademoiselle. Avec des grains de café ?

– S'il vous plaît, dit-elle avec un grand sourire. Ce serait génial.

Ari Thór regarda Tómas. À en juger par son expression, il ne semblait pas ravi du tour que prenaient les événements. Mais il garda le silence. Il pouvait difficilement leur reprocher quoi que ce soit : aucun d'eux n'était en service, et de plus, il n'avait aucune autorité sur Hanna.

– Tout ça me paraît limpide, commença Hanna après le départ du barman. Pour le moment, en tout cas. Nous enverrons des prélèvements à Reykjavík pour confirmation, poursuivit-elle d'un ton satisfait, mais on dirait bien que cette pauvre fille a été agressée dans le phare – c'est ce qu'indiquent les éclaboussures de sang. Je ne sais pas si elle est décédée au même endroit, je n'en ai aucune idée. Apparemment, elle a reçu un coup violent à la tête, et le tueur aurait tenté de brouiller les pistes en la jetant du haut de la falaise. Une bonne idée de sa part, sauf qu'à Mummi et moi, on ne la fait pas. Nous avons demandé à un gars de la police d'ici de rester au phare toute la nuit pour que personne ne souille la scène de crime. On a pris des photos et effectué des prélèvements, bien sûr, mais autant ne pas prendre de risque. Et j'aime bien penser qu'il y a un pauvre gars qui poireaute là-bas dans le froid, dans ce paysage de bout du monde.

– Est-ce qu'il y a eu viol ? demanda Tómas.

Ari Thór aurait préféré reprendre l'idée de Kristín – le jeu sexuel qui aurait dégénéré – mais il n'arrivait pas à trouver les mots.

– Viol ? Alors, on a bien trouvé des traces de sperme à l'étage, dans le grenier, ce qui signifie qu'elle a eu une relation sexuelle dans cette pièce, alors qu'elle a été tuée dans le phare. On peut penser que les deux événements sont liés d'une façon ou d'une autre, et considérer la personne avec qui elle a couché comme le suspect numéro un. Soit elle a été violée, soit la relation sexuelle était consentie. Elle peut avoir eu envie de tirer un coup, dit Hanna en riant.

– Dis donc ! dit Ari Thór, que son intervention surprit lui-même.

Voilà qu'il défendait spontanément l'honneur d'Ásta...

– On ne sait pas ce qui s'est passé avant. Peut-être qu'elle avait une liaison avec cette personne, une liaison que nous ne soupçonnons pas. Dans tous les cas, c'est forcément quelqu'un de son entourage, or elle connaît ces trois hommes depuis toujours – Reynir, Arnór et Óskar. Et puis elle vient de mourir, je trouve qu'on pourrait la respecter...

Il baissa les yeux sur ses mains pour éviter de croiser le regard de Tómas et Kristín.

– Ari Thór a raison, ajouta Tómas.

– Oui, bon, relax, dit Hanna, imperturbable. On identifiera le gars demain. Nous avons trouvé quelques empreintes exploitables dans la chambre, apparemment ils ont fait ça debout contre le mur, au moins au début. On nous a promis des résultats pour demain midi. Après, moi, je file dans le Sud. Je n'ai aucune intention de passer Noël ici.

– Et dans le phare ? Ils ont trouvé des empreintes ? demanda Tómas.

– Non, rien de probant. Les murs sont des surfaces irrégulières, pas faciles à exploiter.

Le serveur apporta les boissons sur un plateau – de la bière, de l'eau, et trois grains de café dans un verre. Il y versa la liqueur blanche avant de la flamber.

– Merci, je vais prendre le relais, dit Hanna en regardant la flamme danser comme une lumière de Noël dans les ténèbres de décembre.

Elle plaça sa main sur le verre pour l'éteindre avant d'en respirer les vapeurs.

– À la vôtre ! lança-t-elle en l'avalant d'un seul trait.

12

– Elle a une sacrée personnalité, cette Hanna, dit Kristín une fois dans la chambre.

Elle s'était glissée au chaud dans le lit tandis qu'Ari Thór restait assis face au petit bureau.

– Tu peux le dire.

– Elle me rappelle cette chanteuse…

– Je sais, sourit Ari Thór. Alors, comment tu as occupé ta journée ?

– Je me la suis coulée douce. Je ne débordais pas d'énergie. J'ai pensé un moment aller voir ce vieux monsieur à Saudárkrókur, mais j'irai demain.

– Toute seule ?

– Oui, les routes sont en bon état, et il faut bien que je m'occupe. Je serai de retour vers midi. De toute façon, j'imagine que tu ne seras pas disponible, donc on va probablement passer Noël ici, ce qui ne me dérange pas. Je n'aime pas Noël autant que toi.

– Ne dis pas de bêtises, dit doucement Ari Thór. On peut très bien y faire étape demain en rentrant à Siglufjördur. Dis-moi, d'où te vient cette passion pour l'histoire familiale ?

– Tu veux bien me laisser décider ? aboya-t-elle, prise d'une colère soudaine.

Ari Thór avait appris à se méfier des brusques changements d'humeur de Kristín. De joyeux, son regard pouvait en un instant se faire menaçant. La faute à la grossesse et à la fatigue qui l'accompagnait.

– J'ai envie d'en savoir plus sur ton passé, dit-elle, solennelle, même si tu ne parles jamais de tes parents, et encore moins de ton père.

Ari Thór garda le silence. Elle avait touché un nerf sensible et elle le savait. Inutile de faire semblant.

– À quoi il ressemblait ? insista-t-elle. Quelle sorte de père était-il ? Je ne sais rien…

– C'était un bon père, répondit calmement Ari Thór.

– Il y a quelques mois, j'ai cherché sur Internet des informations sur sa disparition. Tu m'as dit qu'ils ne l'avaient jamais retrouvé.

Elle laissa passer un moment.

– Tu crois qu'il s'est suicidé ? reprit-elle.

Elle parut immédiatement regretter sa question.

– J'aimerais mieux ne pas en parler, répondit Ari Thór.

– Tu ne veux pas savoir ce qui lui est arrivé ?

– Et si on passait à autre chose ? s'insurgea-t-il. On en discutera plus tard. Pour le moment, je me concentre sur l'affaire de Kálfshamarsvík.

S'il n'avait pas envie de mentir, il ne tenait pas pour autant à dire la vérité. Il n'en avait jamais parlé à Kristín, mais au début de leur relation, il s'était penché sur les circonstances de la disparition de son père et il avait fini par découvrir la vérité. Résultat, il avait décidé de postuler au sein de la police, ses recherches lui ayant donné le goût de la recherche. C'est grâce à son père qu'il s'était orienté vers cette carrière – ou à cause de lui...

Il tenait à garder pour lui l'histoire de la disparition de son père. Au moins pour le moment. Peut-être qu'un jour, il lui raconterait.

– Bon... en tout cas, j'ai envie de connaître la vérité sur mon arrière-grand-père.

Il n'y avait plus une once de colère dans sa voix.

– Contrairement à toi, je trouve ça fascinant, reprit-elle. Et comme demain tu seras au travail, je n'aurai rien de mieux à faire.

Apparemment, elle avait pris sa décision. Ari Thór songea que c'était du Kristín tout craché. Une fois qu'elle s'était mis une idée en tête, elle n'en démordait pas. Il savait qu'il n'avait pas de leçon à lui donner de ce côté-là – c'eût été malvenu – mais il la trouvait parfois un peu trop... susceptible, disons.

– Pourquoi tu ressors tout ça maintenant ? Ça ne change rien pour nous, si ? demanda-t-il.

Il avait conscience d'être fatigué et irritable.

– Bien sûr que ça change quelque chose. Le passé éclaire le présent. Peut-être que c'est à cause du bébé. Ce n'est pas rien d'apporter au monde une nouvelle vie et d'avoir la charge de son éducation. Il faut commencer par bien se connaître soi-même.

– Au fait, tu as des idées de prénoms ? marmonna Ari Thór en contemplant son joli ventre arrondi.

– Non, mon amour. Tu sais bien que je préfère attendre.

– Si c'est un garçon...

– On attend !

– D'accord, renonça-t-il.

Comme sa riposte l'avait contrarié, il lui tourna le dos pour éviter une dispute. Décidément, il aurait bien aimé que Kristín soit plus détendue, moins imprévisible.

Imprévisible, tout comme Ásta, songea-t-il, même s'il n'avait jamais connu la morte. D'une certaine manière, cette femme l'intriguait – son expression, la séduction qu'elle opérait sur lui. Il émanait de son visage, de son demi-sourire, une certaine chaleur auréolée de mystère. La photo paraissait tout aussi étrange que sa conduite. Il la ressortit du dossier et l'observa minutieusement avant de la ranger à nouveau dans le dossier, qu'il referma.

Il se leva, ôta sa chemise et déboutonna son pantalon avant de se tourner vers Kristín.

– Et si on… ?

– Quoi ? Maintenant ? fit-elle, surprise.

– Ça ne risque rien pour le bébé, si ?

– Non.

Ses vêtements à terre, il souleva doucement la couette qui recouvrait le corps de Kristín et lui adressa un sourire.

13

Thóra était fatiguée. Après deux verres de vin – peut-être trois ? – la tête commençait à lui tourner. Elle souhaita bonne nuit aux hommes et descendit les marches usées par le temps pour gagner sa chambre.

Elle se sentait vaseuse. Sans doute à cause du vin, ou alors c'était son corps qui lui faisait comprendre qu'il n'en pouvait plus. Après toutes ces années, elle savait comment son corps fonctionnait, et elle avait conscience qu'il était à bout de forces. Ce qui ne la chagrinait pas plus que cela, finalement.

La fin, oui, en quelque sorte. Ou alors un nouveau départ.

Elle avait toujours eu la foi, comme sa mère avant elle. Voilà l'une des meilleures choses que sa mère lui avait transmises. Dans les moments difficiles, la foi lui apportait du réconfort ; en revanche, elle avait toujours eu du mal à pardonner.

Il lui arrivait de céder à la colère, parfois même à la haine. Elle ressentait de la haine pour le médecin qui lui avait prescrit sa première dose d'amphétamines. Peut-être était-il paré des meilleures intentions, mais peu importe, il était censé connaître son métier.

Arrivée au bas de l'escalier, elle se rendit compte qu'elle avait gardé son verre à la main. Tant mieux après tout, c'était du bon vin.

Et Noël approchait.

Quoi qu'il arrive, elle se félicitait de n'avoir plus qu'un seul Noël à vivre – le dernier. Pas question de laisser Ásta et la police lui gâcher les festivités, elle entendait bien profiter à fond du réveillon. Elle espérait que la neige tomberait pendant la nuit. Quel meilleur moyen de commencer la journée que de se réveiller dans un paysage enneigé ?

Elle recevrait d'Óskar un cadeau de Noël : un livre, comme d'habitude. Ils respectaient tous les deux cette vieille tradition islandaise d'échanger des livres à Noël. Elle avait choisi pour lui une biographie, qu'elle avait déjà emballée dans un papier cadeau rouge vif entouré d'un ruban.

Peut-être Reynir avait-il prévu quelque chose de son côté ? Apparemment, il projetait de passer Noël avec eux. Pour lui aussi, elle avait pris un livre, une autobiographie écrite par un gourou des finances. Elle espérait avoir fait le bon choix.

Puis elle pensa à Arnór. Aurait-elle dû lui acheter quelque chose ? Il était trop tard maintenant, et de toute façon, ils n'avaient pas pour habitude d'échanger des cadeaux, alors qu'elle avait toujours eu une attention pour son père, Heidar. Penser à cet homme lui faisait du bien.

Elle avait rangé les cadeaux pour Óskar et Reynir dans l'armoire de sa chambre, à côté de la moisson de cartes de vœux de l'année.

Étendue sur le couvre-lit blanc comme neige, son verre de vin posé sur la table de nuit, elle prit les cartes et les sortit soigneusement de leurs enveloppes, une par une, pour les relire encore et encore.

Elles portaient toutes les quatre quelques lignes de vœux, écrites par des amis à qui elle était profondément reconnaissante de ne pas l'avoir oubliée après tout ce temps.

Elle se redressa, posa les cartes sur le côté et prit une gorgée de vin.

Puis elle éteignit la lampe de chevet, cala son dos contre l'oreiller et sentit petit à petit la fatigue quitter son corps. Elle se laissa aller à savourer la solitude, l'obscurité et l'approche des fêtes de Noël.

Elle se réveilla d'un coup. Quelle heure pouvait-il être ? Elle était en train d'étouffer. Elle ouvrit les yeux. Noir complet. Elle avait beau se débattre, chercher son souffle, le noir persistait. Elle se sentait impuissante et paralysée par le choc.

Vivait-elle ses derniers instants ? Était-ce donc ça, la mort ?

Elle se rendit compte avec horreur qu'il y avait autre chose.

Quelqu'un tenait un oreiller plaqué contre son visage.

Elle tenta d'appeler à l'aide, mais l'épaisseur de l'oreiller étouffait ses cris. Désespérée, elle tendit ses bras pour se débattre et sentit sa main heurter quelque chose. Le verre de vin.

Elle s'était préparée à la mort, elle l'avait parfois même attendue, mais maintenant qu'elle approchait à grands pas, elle se sentait terrifiée. Terrifiée comme jamais. La mort sonnait à sa porte, mais Thóra voulait un jour de plus. Une heure de délai. Une seule petite minute à respirer, à voir le jour.

Elle continua de se débattre. Mais au fond d'elle, elle savait que c'était peine perdue. Faible, elle n'était pas de taille à résister au poids sur son visage, ni à la détermination de celui qui l'assassinait.

Elle savait qui c'était, bien sûr. Elle aurait pu se douter que ça arriverait.

Le manque d'oxygène commença à produire son effet. Elle n'en avait plus pour longtemps, elle le sentait. Alors elle décida de laisser faire. Tout simplement. De ne pas se compliquer la tâche. Elle espérait qu'un monde meilleur l'attendait.

Elle sentit la vie l'abandonner, une larme lui piquer l'œil, et finit par capituler.

Troisième Partie

Innocence

1

Il faisait encore nuit quand Ari Thór se réveilla. Aucun bruit au-dehors – il devait être trois ou quatre heures du matin.

Ce n'était pas le froid de la chambre qui l'avait tiré du sommeil : il avait tenté d'échapper à son rêve et aux sensations désagréables qui l'accompagnaient. Encore une fois, il était question de son père. Peut-être avait-il aussi rêvé de sa mère – peu importe. Allongé dans le noir, les yeux ouverts, il savait que c'était la solitude qui l'avait réveillé ; la peur de la solitude, ce sentiment qu'il parvenait à contrer dans la journée mais qui, la nuit, se faufilait jusqu'à lui. Sans Kristín, il se retrouverait tout seul. Il préférait ne pas y penser. Ses parents étaient tous les deux décédés, tout comme ses grands-parents paternels et maternels, et il était fils unique. Il avait bien quelques cousins qui se montraient aimables et polis avec lui, et lui donnaient l'accolade les rares fois où ils se voyaient, mais ils n'avaient pas l'air très attachés à lui. S'il avait un jour besoin de réconfort, il n'y aurait personne pour le lui apporter. Personne ne lui rendrait visite à l'hôpital s'il se blessait, et il n'aurait aucun soutien financier de la part de sa famille s'il rencontrait des problèmes d'argent. Il ne pourrait faire appel à personne.

Sauf à Kristín, évidemment. Mais leur relation avait tout de la poudrière, il en était conscient. Même s'ils se connaissaient depuis longtemps, la somme des jours, des semaines et des mois qu'ils avaient effectivement passés ensemble n'était pas si élevée. Cela dit, elle le connaissait mieux que quiconque, et il ne pouvait pas se permettre de la perdre.

Elle dormait profondément à ses côtés. Il tourna son regard vers elle. Elle était d'une beauté incroyable, et à ses yeux, la grossesse la rendait plus rayonnante encore.

Il faudrait qu'il se lève, s'étire et boive de l'eau. Il se rendormirait plus facilement après un peu d'exercice – et il savait qu'il avait intérêt à passer une bonne nuit, vu la longue journée qui l'attendait.

Il se glissa en silence jusqu'à la salle de bains et prit quelques gorgées au robinet. Il s'était installé à Siglufjördur par un hiver enneigé et les premiers temps, il avait eu du mal à s'endormir, mais le problème s'était résolu de lui-même. Il ne savait pas ce qui le gênait cette fois : une chambre étrangère et glaciale, la pression de l'enquête, ou le stress de devenir bientôt papa ?

Il ferma le robinet et augmenta un peu le chauffage avant de retourner au lit. Il mit un certain temps à se rendormir et se demanda ce qui pouvait bien le tenir éveillé.

Le téléphone sonnait. Ari Thór pensa tout d'abord que c'était dans son rêve. Mais non – il sonnait pour de vrai. Il se hâta de décrocher, mais Kristín remuait déjà.

Sur son téléphone, il regarda l'heure : 8 h 30.

L'appel provenait de Tómas, bien sûr.

– Bonjour, mon garçon, dit-il d'une voix tendue.

Ari Thór comprit aussitôt qu'il s'était passé quelque chose. Tómas semblait avoir du mal à respirer.

– Je t'appelle au sujet de Thóra. Elle est morte, annonça-t-il de but en blanc.

– Morte ?

Ari Thór se frotta les yeux. Il avait du mal à digérer l'information.

– Morte, bon sang !

– Des suites de sa maladie ?

– J'espère, mais rien n'est sûr. C'est son frère qui l'a trouvée ce matin. D'habitude, elle se réveille entre six et sept heures. Il a préparé son petit déjeuner, mais elle n'a pas répondu quand il a toqué à sa porte.

– Il y a des marques sur son corps ?

– Pas que je sache. Ils attendent un médecin. Peut-être qu'il est déjà arrivé. Apparemment, elle était au lit. Elle est morte cette nuit. Vu le contexte, et jusqu'à preuve du contraire, on va considérer que cette mort n'est pas naturelle. On n'est jamais trop prudent. Les circonstances sont délicates. J'ai appelé mon chef… Ils veulent m'envoyer quelqu'un de plus expérimenté que toi, reprit-il en soupirant. J'ai répondu que c'était hors de question et qu'on pouvait très bien gérer. Du coup, on a la pression, tu comprends ?

Ari Thór bougonna un « oui » avant d'ouvrir le robinet de la douche. Il avait du mal à se réveiller.

– On a intérêt à boucler ça en vitesse. Les médias ne vont pas tarder à s'emparer de l'histoire. Deux morts suspectes en quelques jours dans une seule et même maison ! Écoute-moi bien : il nous faut un coupable.

– On est d'accord, confirma Ari Thór.

– Alors bouge-toi. On se retrouve dans le hall. Je me charge de réveiller Hanna et Mummi.

– Donne-moi un quart d'heure.

– Tu as cinq minutes, répliqua Tómas avant de raccrocher.

Ari Thór retrouva Kristín dans la chambre.

– Il faut que j'y aille, mon cœur.

– Pas de problème, dit-elle en se redressant. À cet après-midi.

– Pas sûr, malheureusement. Il y a du nouveau. Encore un décès : la femme qui vivait dans la chambre du bas est morte dans son sommeil – sauf si quelqu'un l'a tuée, du coup…

– Du coup, on passe Noël ici.

– On verra. On va essayer de rentrer à la maison ce soir. Attendons de voir comment se déroulent les événements, dit-il avec un sourire.

– Tu sais comme moi que c'est mal parti. Je me rendrai à Saudárkrókur un peu plus tard. On va demander au manager de l'hôtel s'il peut nous concocter un dîner de Noël ce soir.

Alors qu'ils roulaient vers le nord pour rejoindre Kálfshamarsvík, la neige commença à tomber, recouvrant le paysage d'un joli manteau blanc parfait pour la saison. Ari Thór avait la sensation d'avancer dans une magnifique carte postale. Ou dans le vide. Rien à l'horizon hormis quelques fermes et, bien sûr, la maison du cap. Il n'y avait pas de village au-delà de Skagaströnd – rien d'autre que la nature sous la neige.

Dans la voiture de police, les enceintes diffusaient des chants de Noël entrecoupés d'interviews téléphoniques réalisés auprès d'Islandais expatriés qui comparaient les coutumes de fin d'année. Personne ne songea à interroger les deux policiers qui s'apprêtaient à passer Noël à l'hôtel.

À leur arrivée au cap, le jeune officier qui avait passé la nuit à surveiller le phare approcha du véhicule. Il avait l'air épuisé.

– Je n'ai rien remarqué, annonça-t-il d'une voix tendue.

– Du calme, lança Tómas avec autorité. Si ça se trouve, elle est morte d'une cause naturelle. On ne va pas tarder à le savoir. Vous êtes resté au phare toute la nuit ?

– Oui. On ne distingue pas bien la maison d'ici, et les portes sont toutes orientées de l'autre côté.

– Vous auriez entendu, si une voiture était arrivée ? demanda Tómas d'une voix posée.

Ils se trouvaient devant la maison. Autour d'eux, la neige tombait doucement. Ari Thór aurait bien aimé demander à Tómas de poursuivre la conversation à l'intérieur, mais il n'osait pas l'interrompre.

Le jeune homme réfléchit quelques instants.

– Oui, certainement. Je n'ai pas entendu grand-chose, cette nuit, à part les vagues.

– Reynir et Óskar sont tous les deux à l'intérieur ? demanda Tómas en regardant la maison qui semblait les dominer de toute sa hauteur.

Le policier sembla hésiter.

– Oui, finit-il par répondre. Ils sont là tous les trois.

– Tous les trois ? Comment ça ? Qui est le troisième ? Arnór ?

– Exact. Arnór. J'imagine qu'il a passé la nuit là.

– Bon Dieu de bon Dieu, marmonna Tómas. Garde un œil sur eux, et veille à ce qu'ils ne communiquent pas trop ensemble, même si c'est un peu tard. Ari Thór et moi, on va commencer par le sous-sol.

2

Le médecin, arrivé de Blönduós, les attendait dans la chambre du bas.

– Tout ce que je sais, c'est qu'elle est morte, dit-il d'une voix égale.

Plutôt grand, la quarantaine, il portait d'épaisses lunettes qui lui cachaient les yeux.

– J'imagine que vous allez faire appel à un médecin légiste ? Il pourra certainement vous en dire plus.

– Elle comptait parmi vos patients ? demanda Tómas.

– Oui. En général, les gens qui habitent ici vont consulter à Blönduós quand ils ont des problèmes de santé.

– Est-ce que sa mort vous surprend ? Étant donné sa maladie ?

Le docteur prit un moment pour réfléchir.

– Théoriquement, elle était suivie par un spécialiste à Reykjavík, mais le problème, c'est qu'elle ne tenait pas plus que ça à rester en vie. Elle ne voulait pas avoir à supporter les effets secondaires des médicaments. Elle n'avait consulté ce spécialiste qu'une seule fois, et seulement parce que je l'avais suppliée. Après quoi, j'ai fait de mon mieux pour surveiller son état, mais le plus souvent, elle refusait de me voir. Ça va vous paraître curieux, mais elle avait la phobie des médecins, en réalité. Elle avait déjà beaucoup trop attendu avant de venir me consulter. De ce fait, il n'a jamais été question de la guérir complètement.

Il observa un moment de silence.

– Je l'ai revue à l'automne, reprit-il, l'air grave. Elle avait l'air plutôt en forme. Je lui donnais six mois à vivre, peut-être neuf. Cela dit, elle n'aurait pas connu une mort aussi paisible. Sa santé se serait sans doute dégradée petit à petit – elle aurait beaucoup souffert de la maladie. Sauf si c'est son cœur qui a lâché. D'après ce que m'a dit Óskar, vous êtes passés hier poser des questions sur la mort de cette pauvre jeune femme. Il n'est pas impossible qu'elle ait succombé au stress provoqué par votre intervention.

Ari Thór alla droit au but.

– Est-ce qu'elle pourrait avoir été assassinée ?

– C'est une possibilité, répondit le médecin d'un ton toujours égal. Il n'y a aucun signe visible qui l'indique, et je suis sûr qu'elle n'a pas été étranglée. Si on l'a tuée, c'est soit en l'empoisonnant, soit en l'étouffant tout simplement.

– Óskar dit avoir trouvé le corps, c'est ça ?

Le docteur acquiesça et s'éloigna un peu du lit. Ari Thór remarqua derrière lui, sur le blanc du tapis, une tache rouge.

– Regarde, dit-il en montrant à Tómas la tache. Du vin, non ?

Le médecin toussa.

– Bon. Il faut que j'y aille.

Tómas le remercia et se tourna vers Ari Thór.

– Pas de verre sur la table. Je vais voir en cuisine.

Il revint quelques instants plus tard.

– Il y a un verre vide à côté de l'évier. Elle a dû le poser là elle-même. Hanna et Mummi ne vont pas tarder, ils s'en occuperont, mais c'est peut-être la preuve qu'il y a eu une altercation cette nuit.

– Ou alors qu'elle a eu un geste maladroit, dit Ari Thór sans y croire lui-même.

Cette tache le titillait. Pour lui, c'était la preuve qu'on l'avait tuée, même s'il n'aurait pas su justifier son raisonnement.

– Qu'est-ce qui te préoccupe ? demanda Tómas, comme s'il lisait dans ses pensées.

– Il se passe quelque chose dans cette maison... qui nous a échappé jusqu'à présent. Comme une menace tapie dans l'ombre.

– On va laisser Hanna et Mummi faire leur travail, après quoi on fouillera dans ses affaires – ses papiers, tout ça. Commençons par interroger Óskar.

Ils avaient transformé le bureau de Reynir en salle d'interrogatoire improvisée, pour enquêter sur une affaire qui se faisait d'heure en heure plus complexe. Óskar, vêtu de son éternel pull à col roulé, avait choisi le même fauteuil que la veille. Ses mains tremblaient, et il paraissait avoir pris dix ans dans la nuit. Il avait pleuré, Ari Thór l'aurait juré – une réaction naturelle et prévisible chez la plupart des gens, mais qui lui paraissait incongrue chez ce gaillard à l'ancienne, tout en retenue. Il s'était peut-être trompé sur son compte...

Avec le chauffage à fond, il faisait chaud dans le bureau. Malgré les rideaux ouverts, on ne distinguait pas l'horizon tellement la neige tombait. Tout était blanc au-dehors, et la lumière réfléchie par la neige éclairait la pièce en ce matin de Noël.

– Toutes nos condoléances, dit Tómas avec sincérité. Mais comme vous l'imaginez, nous avons des questions à vous poser.

– Oui, répondit Óskar d'une voix hésitante, comme s'il était au bord des larmes. Je comprends.

Après avoir respiré profondément, il plongea sa main dans sa poche pour en sortir un mouchoir et se moucha.

– Pardon. Je ne m'en remets pas. C'est arrivé si vite. Elle était malade, bien sûr, mais elle allait plutôt bien ces derniers temps. J'étais persuadée qu'il lui restait encore quelques mois à vivre, peut-être même un an ou deux. Je ne m'attendais pas à ce qu'elle parte si vite.

Ari Thór croisa le regard de Tómas et comprit qu'il pouvait s'aventurer en zone dangereuse.

– Et si elle n'était pas morte de maladie ?

– Comment ça ?

Il articulait lentement, pas certain de comprendre ce qu'Ari Thór insinuait.

– Certains éléments portent à croire qu'Ásta a été tuée... commença Ari Thór, aussitôt interrompu par Óskar.

– Vous en êtes sûrs ? s'étonna-t-il.

– C'est l'une des explications possibles, au moins pour le moment. Et, vu ce qui s'est passé il y a quelques jours ici, sur la pointe – le jour de la mort d'Ásta – vous comprendrez bien qu'il nous faut explorer toutes les pistes lorsqu'un autre décès survient dans un délai si court.

– Mais enfin ! répliqua Óskar sans élever la voix. Vous ne pensez tout de même pas que ma sœur a été assassinée ?

– On ne peut pas écarter cette hypothèse.

– Nous avons aussi trouvé les preuves d'une éventuelle altercation, poursuivit Ari Thór tout en se demandant s'il n'en disait pas trop.

Mais Tómas ne réagit pas.

– Une altercation ? répéta Óskar.

– À votre avis, si des gens s'étaient battus, vous l'auriez remarqué ?

Óskar resta quelques instants pensif.

– Je ne pense pas. Nos chambres sont à l'opposé l'une de l'autre, et on ferme toujours la porte la nuit. Une vieille habitude. Ce n'est sans doute pas anodin, mais quand vous partagez votre maison avec une femme qui n'est pas votre épouse, votre chambre devient un refuge. C'était déjà le cas à l'époque où nous occupions l'étage.

Ari Thór décida de s'engouffrer dans la brèche. Il cherchait des réponses aux questions qui l'obsédaient depuis la veille.

– Est-ce qu'il paraissait normal à l'époque… que les domestiques partagent les parties communes avec les propriétaires d'une maison ? Ça se faisait, dans le temps ?

– Je comprends votre question. Je pense au contraire que c'était plutôt rare, même à l'époque, dit Óskar. Comme vous l'avez constaté, les pièces de vie sont distribuées sur deux étages. Autrefois, les chambres des propriétaires se trouvaient au premier. Le grand-père de Reynir ne passait pas toute l'année ici. Au début, Thóra, notre mère et moi logions au grenier, mais quand Kári et sa famille sont venus s'installer, on nous a déménagés en bas, au même niveau que la cuisine, ce qui était pratique vu que Thóra était aux fourneaux. À l'époque, Reynir avait investi le sous-sol, sinon on nous y aurait sans doute installés. Quand le père de Reynir s'est mis à élever des chevaux, c'est devenu mon travail. Aujourd'hui, Arnór a pris le relais.

Il prit une grande inspiration avant de poursuivre.

– En tout cas, la cohabitation – si l'on peut dire – se passait bien. Nous étions une famille, en quelque sorte. La seule famille que Thóra et moi ayons jamais eue. Ça me convenait. Je ne suis pas difficile, et j'aime vivre ici. C'est ici que je rendrai mon dernier souffle, un de ces jours. Thóra aurait préféré que sa vie prenne une autre direction, j'imagine, mais c'est ainsi.

– Si quelqu'un lui a fait du mal, avança Ari Thór avec prudence, comment cette personne aurait-elle gagné le sous-sol ?

– Nous fermons rarement les portes qui donnent sur l'extérieur, dit Óskar d'une voix hésitante. Il y a un escalier qui descend du rez-de-chaussée vers le sous-sol. Pas de porte verrouillée entre les deux. Vous voulez dire qu'Arnór ou Reynir se serait faufilé dans l'escalier pour…

– C'est une hypothèse en effet. Mais ce n'est pas la seule, dit Ari Thór.

Apparemment, Óskar ne saisit pas le sous-entendu.

– Qu'est-ce qui vous fait croire qu'Ásta a été assassinée ? demanda-t-il contre toute attente.

Au tour de Tómas de prendre la parole.

– Nous ne pouvons rien révéler pour le moment.

Óskar jeta un coup d'œil par la fenêtre. Par réflexe, Ari Thór suivit son regard. La neige de Noël tombait toujours, mais avec moins d'intensité. Dans d'autres circonstances, il se serait réjoui de passer le réveillon dans ce paysage de carte postale – une vieille demeure charmante, installée au bout d'un cap de toute beauté, non loin de ce phare impressionnant et des colonnes de basalte torsadées, le tout enfoui sous la neige. Ici, au milieu de nulle part, à l'écart de tout village, ils se trouvaient bien à l'abri d'un foyer chaud et accueillant situé au cœur d'une nature fière et sauvage. L'endroit idéal pour se reposer quelques jours avec Kristín à l'occasion des fêtes.

– Elle m'a laissé une lettre, dit Óskar d'une voix à peine intelligible. J'aurais peut-être dû vous en parler hier.

– Une lettre ? Ásta ? demanda Tómas aussitôt. Quand ?

– Il y a une éternité. Presque vingt ans, dit Óskar. Mais je l'ai gardée. J'avais besoin d'aller à Reykjavík, et j'ai décidé d'aller rendre visite à Kári, son père, qui était alors hospitalisé. Nous avions perdu tout contact avec lui depuis qu'il avait quitté Kálfshamarsvík. Il était déjà malade à l'époque. Je ne sais pas de quoi il souffrait, je crois qu'il s'agissait à l'origine d'une sorte de dépression nerveuse, mais par la suite il a perdu l'esprit. Le pauvre homme avait été confronté à un traumatisme terrible. J'ai fini par trouver où il était interné, et je suis allé le voir un dimanche, pendant les heures de visite. Il se trouvait en service psychiatrie, bien entendu, mais en tant que patient non dangereux, il avait droit aux visites. Cela dit, j'ai eu un choc en le voyant. Il paraissait tellement distant, je le reconnaissais à peine, et il tenait des propos complètement incohérents. Il était probablement sous sédatifs. J'ai essayé d'évoquer avec lui le passé, mais il avait le regard vide. Il faisait grand soleil ce jour-là, mais sa chambre individuelle, pourtant agréable et lumineuse, m'a paru grise et sinistre. C'est en tout cas l'impression qu'elle m'a laissée. Sur sa table de chevet, il y avait une photo de sa femme et de ses filles. Aujourd'hui, elles ont toutes disparu.

– Ásta vivait alors à Reykjavík, non ? J'imagine qu'ils pouvaient s'apporter un réconfort mutuel, hasarda Ari Thór.

– Ç'aurait pu être le cas, répondit Óskar. Sauf qu'à l'hôpital, ils m'ont dit qu'ils étaient ravis de voir Kári recevoir enfin de la visite après si longtemps. Je leur ai demandé si sa fille ne venait pas le voir régulièrement, et ils ont répondu qu'elle n'était passée qu'une seule fois, en coup de vent.

– Ça paraît difficile à croire, dit Ari Thór, comme pour lui-même.

S'était-il fait de la morte une image complètement fausse ?

– Et donc, Ásta vous a écrit, c'est ça ?

– Exact. En fait, je lui ai envoyé une lettre à mon retour. Je ne me sentais pas de lui rendre visite à Reykjavík. Elle habitait chez sa tante, et je n'avais aucune envie de m'imposer et de les déranger.

– Pourquoi lui avoir écrit ? demanda Ari Thór.

– Eh bien, déjà pour prendre de ses nouvelles, mais aussi pour l'encourager à rendre visite à son père. Je n'ai pas gardé ma lettre, donc je ne me rappelle plus très bien ce que je racontais.

– Et elle a répondu quoi ?

– Rien de spécial. Vous voulez que j'aille la chercher ?

Tómas se leva.

– D'accord, mais je vous accompagne. Il ne faudrait pas déranger le travail de l'équipe scientifique.

Tómas laissa entrouverte la porte du bureau. Ari Thór savait qu'Arnór et Reynir attendaient leur tour dans la pièce d'à côté. Ils ne faisaient aucun bruit. *Le silence est vraiment la langue maternelle de cette maison*, songea-t-il.

Il se mit à penser à Kristín. À cette heure, elle devait être sur la route de Saudárkrókur. Elle méritait vraiment la palme de l'obstination, et ça ne s'était pas arrangé avec sa grossesse. Il l'aurait bien appelée, mais comme elle conduisait…

Tómas ne tarda pas à revenir.

– Aucun problème pour accéder au sous-sol, murmura-t-il à l'attention d'Ari Thór. Il a raison, la porte ne ferme pas à clé, donc n'importe lequel des trois a pu se glisser dans la chambre de Thóra la nuit dernière.

Óskar fit à son tour son entrée en boitillant, appuyé sur sa canne.

– Voilà la lettre. Je l'ai gardée par nostalgie, j'imagine.

Tómas lui prit des mains la lettre et s'assit au bureau pour la lire, à sa place désormais attitrée. Il posa le courrier sur la table afin qu'Ari Thór puisse aussi le consulter. C'était une feuille à carreaux, probablement déchirée d'un cahier, recouverte d'une écriture propre et régulière dont les caractères, tracés au stylo à bille rouge, penchaient vers la droite. On aurait dit la graphie appliquée d'un élève qui ne maîtrisait pas encore l'écriture.

Cher Óskar,

Merci pour ta lettre.

Ça me ferait plaisir de te rendre visite et de revoir la baie. J'espère que Reynir a pu finir son bateau. Mais maintenant que je suis à Reykjavík, je ne crois pas qu'on me laissera vous rendre visite. Je n'aime pas ma tante et elle me le rend bien, donc je doute qu'elle me laissera prendre un congé. Elle veut m'inscrire au collège comme mon père le lui a demandé. Je ne sais pas si j'en ai envie. Je compte commencer à travailler dès que possible. J'y tiens vraiment.

Une fois, elle m'a forcée à venir avec elle rendre visite à Papa. Mais je n'y retournerai pas.

Embrasse tout le monde pour moi, dis-leur que je pense à eux. Et s'il te plaît, ne m'écris plus. Parce que je ne saurai pas quoi répondre.

Ásta

Quand il eut fini de lire, Ari Thór leva les yeux sur Óskar.

– Curieux, non ? dit le vieil homme. Elle a écrit cette lettre à l'âge de douze ou treize ans. Par la suite, je n'ai plus jamais eu de ses nouvelles, jusqu'à ce qu'elle débarque sans prévenir à la veille de Noël.

– Vous permettez que je garde cette lettre pour en faire une photocopie ? demanda Ari Thór. Je vous rendrai l'original, bien sûr.

– Écoutez, oui, pas de problème, dit Óskar, qui n'avait pas l'air ravi.

Il paraissait tenir beaucoup à cette lettre.

– Si votre sœur… commença Ari Thór d'un ton hésitant. Si votre sœur n'est pas morte de mort naturelle, reprit-il, pourquoi lui voulait-on du mal, à votre avis ?

– Et pourquoi à ce moment précis ? ajouta Tómas. En plein milieu d'une enquête, alors que les policiers sont partout. L'un des nôtres a même passé toute la nuit au phare. Il est arrivé quelque chose après notre départ ?

Óskar prit le temps de réfléchir.

– On s'est assis tous ensemble et on a discuté, rien de plus, résuma-t-il.

– Tous ensemble ?

– Reynir, Thóra et moi. Et puis Arnór s'est joint à nous, il a dit qu'il n'arrivait pas à dormir, ce qui peut se comprendre. Il avait l'air énervé, il a dit qu'il avait prêté à Ásta la clé du phare et que du coup, la clé était perdue.

– Vous avez parlé d'autre chose ? Rien de ce que Thóra a dit ne vous a spécialement marqué ?

De nouveau, Óskar prit son temps pour répondre.

– Si, maintenant que vous le dites, ça me revient. Elle m'a rappelé que la nuit où Sæunn est morte, nous n'étions pas tout seuls à la maison.

– Bien sûr que non. Il y avait aussi le mari et les filles de Sæunn, c'est ça ? Kári, Ásta et Tinna.

Ari Thór avait du mal à cacher son irritation. Il n'avait pas de temps à perdre, et espérait toujours, même s'il n'y croyait plus trop, rentrer chez lui le soir même pour retrouver Kristín.

– Ce n'est pas à eux qu'elle pensait, dit Óskar d'une voix morne.

Ari Thór croisa le regard de Tómas.

– À qui, alors ? s'énerva-t-il. Quelqu'un dont nous n'aurions jamais entendu parler ?

– Ce n'est pas sur la mort de Sæunn que nous enquêtons, précisa Tómas à l'intention d'Óskar. Mais si vous savez de qui elle parlait, ça pourrait nous aider. Ce détail peut avoir de l'importance, ajouta-t-il avec douceur.

Óskar resta un moment silencieux. Ari Thór remarqua que ses mains tremblaient plus que d'habitude.

– Je n'en suis pas sûr, finit-il par avouer, mais j'ai ma petite idée.

Il parlait à voix basse, comme s'il ne voulait pas révéler le secret de sa sœur.

Tómas et Ari Thór patientèrent.

– À mon avis, elle parlait d'Heidar, soupira Óskar.

– Heidar ? répéta Ari Thór avant de comprendre. Le père d'Arnór ?

– Exact.

– Qu'est-ce qu'Heidar serait venu faire ici en pleine nuit ?

– Je vous laisse deviner, répliqua Óskar.

– Il était... en couple avec Thóra ? demanda Ari Thór.

– En couple ? Loin de là. Heidar était un homme marié. Mais disons qu'ils s'entendaient bien, tous les deux. Dès qu'il en avait l'occasion, il se pointait, même tard dans la soirée. Je veux dire, quand sa femme n'était pas à la maison et que nous n'étions pas trop nombreux.

– Donc il trompait sa femme ? dit Tómas, l'air surpris.

Son collègue ne se l'autoriserait jamais – Ari Thór le savait.

– C'est de famille, répondit Óskar avec mépris.
– À savoir ?
– Les chiens ne font pas des chats.
– Qu'entendez-vous par là ? insista Tómas.
– Il y a des histoires qui circulent. Des rumeurs. Et on ne peut pas dire que son mariage avec Thórhalla soit une réussite. Ils ont sans doute été heureux ensemble au début, mais c'en est bien fini. Ils n'ont pas d'enfants, ils ne restent ensemble que pour l'argent.
– Quel argent ?
– L'argent de Thórhalla. Heidar était un bon fermier, mais il ne se débrouillait pas bien au niveau financier, et Arnór a failli perdre la ferme. Il a été assez malin pour se marier avec une fille issue d'une famille aisée, et ils ont fait de bons placements. J'ai l'impression qu'ils cherchent à attirer les touristes cet été. Ils veulent construire des chalets, proposer de l'équitation, tout ça... Arnór a même parlé d'organiser des visites thématiques autour des fantômes – vous savez, ces histoires de revenants dont Reynir vous a parlé. C'est n'importe quoi, mais quand les temps sont durs, les gens sont prêts à tout pour se faire de l'argent.
– Selon vous, est-ce qu'Heidar est impliqué dans la mort de Sæunn ? C'est à ça que pensait votre sœur, non ? demanda Tómas, les sourcils froncés.
– Je ne pense pas, répondit Óskar. Mais on ne sait jamais...
– C'est-à-dire ?
– Une chose est sûre, Thóra était très attachée à Heidar. S'il n'avait pas été marié au moment où ils se sont rencontrés, elle aurait probablement songé à l'épouser. Je ne saurais pas dire si son amour – car c'est bien de l'amour qu'elle éprouvait pour lui – était

vraiment réciproque. Comme je vous l'ai dit, Heidar ne se contentait pas d'une seule femme – ni même de deux, en l'occurrence, ajouta-t-il dans un soupir. Ma sœur n'a pas connu une existence très heureuse, vous l'aurez compris. Depuis le début, elle tenait à faire des études, et pourtant, comme vous le savez, elle les a brusquement interrompues. Et elle rêvait, j'en suis sûre, de fonder un foyer, ou tout au moins de se marier. Mais quand enfin elle a trouvé l'homme de sa vie, il n'était pas disponible.

– Ça n'a pas dû être facile pour elle d'entretenir une liaison avec un homme marié, dit Ari Thór, qui jusque-là considérait Thóra comme une vieille dame respectable.

Il ne s'attendait pas à recevoir une réponse, mais ce fut le cas.

– Thóra était plus solide que vous ne le pensez. Elle pouvait se montrer redoutable, et elle savait très bien ce qu'elle faisait. Bien sûr, ça n'a pas dû être évident d'aimer un homme marié. Mais je vous assure qu'elle ne se sentait pas le moins du monde coupable de le recevoir de temps à autre à la maison.

Il sourit.

– Si Heidar avait été impliqué dans la mort de Sæunn, Thóra l'aurait su, et elle aurait tout fait pour garder le secret !

– À votre avis, pourquoi a-t-elle jugé utile de faire allusion à lui l'autre soir, même sans le nommer ? demanda Tómas.

– Elle était un peu pompette. Elle tenait mal l'alcool, dit Óskar en souriant à nouveau. Je pense qu'elle a voulu faire la maline en éveillant la curiosité, en faisant surgir le doute. Elle a laissé entendre qu'il planait sur la mort de Sæunn un mystère qu'on n'a jamais cherché à élucider afin de ne pas nuire à la famille de Reynir. Vous savez comme moi que son père était un homme riche et puissant, au tempérament obstiné. De plus, il était bien introduit dans les milieux politiques. Il pouvait accepter qu'une femme se soit suicidée sur ses terres, et qu'elle soit morte par accident, mais il n'aurait jamais toléré d'y voir mener une enquête criminelle.

– Est-ce que vous voyez autre chose, dans votre conversation d'hier, qu'il nous serait utile de savoir ? insista Tómas en voyant l'heure tourner.

Le temps ne jouait pas en leur faveur, et Ari Thór devinait les pensées de Tómas : ils feraient mieux de prendre au plus vite toutes les dépositions, et d'avancer autant que possible dans l'enquête avant l'heure du réveillon. Une fois Noël arrivé, l'enquête tournerait au ralenti, qu'ils le veuillent ou non. Ils n'obtiendraient de Reykjavík qu'un soutien minimum et ne pourraient sans doute pas reprendre le travail avant trois ou quatre jours.

– Oui et non, répondit Óskar du tac au tac, comme s'il lui tardait de se débarrasser d'un poids. Tout à coup, elle s'est mise à parler d'une certaine Sara.

– Sara ? C'est qui, ça ? demanda Tómas.

Óskar hésita un long moment.

– Je ne suis pas sûr d'avoir la réponse…

– Qui est cette Sara ? aboya Tómas, qui commençait à perdre patience. Allez, crachez le morceau !

Tómas prononça ces mots d'une voix dure, ce qui déstabilisa Óskar.

– À mon avis, elle parlait de la fille qui est venue ici un été, il y a longtemps, finit-il par bafouiller.

Ari Thór prit le relais.

– Quand ? demanda-t-il.

– Je ne me rappelle pas exactement. À l'époque, il y avait des jeunes qui venaient ici l'été. C'est Thóra qui s'en occupait.

– Avant qu'Ásta s'installe ici ?

– Avant ? Non. Après le départ d'Ásta et Kári. Le gouvernement nous accordait une sorte de subvention. Pendant quelques années, nous avons reçu deux ou trois jeunes les mois d'été. L'argent reçu payait nos salaires, à moi et à Thóra. Mais je ne me rappelle pas qui était là, ni quand.

Il paraissait nerveux.

– Il s'est passé quelque chose de spécial pendant le séjour de Sara ? Est-ce qu'elle s'est fait remarquer d'une manière ou d'une autre ?

– Pas que je sache, mais je ne m'occupais pas des enfants. J'avais la sensation de m'être déjà brûlé les ailes en devenant ami avec Ásta. J'aimais beaucoup cette fille. Ça m'a fait de la peine qu'on l'envoie vivre à Reykjavík.

Ari Thór ressentit un élan de compassion pour Óskar, mais il décida de recentrer la conversation sur Sara.

– Quel âge avait-elle, cette fameuse Sara ?

– Ils avaient tous à peu près le même âge – entre huit et douze ans, je dirais. D'elle, je ne me rappelle pas grand-chose à part son prénom. J'ai tendance à me souvenir des prénoms, mais pas des visages. Et ça ne s'arrange pas avec le temps.

– Est-ce que vous vous rappelez son nom de famille ? demanda Tómas.

– Pas du tout. D’ailleurs, si ça se trouve, Thóra pensait à quelqu’un d’autre.

Tómas se leva.

– On va vérifier ça. Merci de nous en avoir parlé. J’imagine que vous ne bougez pas d’ici ?

– Non, en effet. D’habitude, je vais à la messe de Noël de dix-huit heures, celle de Hof, pas loin d’ici. On y allait, Thóra et moi, dit-il d’une voix pleine de regrets. Reynir a dit qu’il m’accompagnerait.

Tómas hocha la tête.

– On aura certainement besoin de vous reparler d’ici là.

Óskar était déjà debout quand Ari Thór repensa à la tache de vin, qui n’avait cessé de le tracasser.

– Vous dites que Thóra était un peu pompette hier soir, c’est ça ?

– Oui, répondit-il avec méfiance.

– Qu’est-ce qu’elle buvait ?

– Du vin rouge.

– Est-ce qu’elle a emporté son verre de vin au moment d’aller se coucher ?

– Ça se pourrait, oui, dit Óskar. Elle est allée se coucher un peu avant nous, donc je ne me souviens plus très bien.

– Une dernière question. Si elle avait fait une tache de vin rouge sur le tapis blanc de la chambre, est-ce qu’elle l’aurait laissée toute la nuit ?

– Certainement pas. Thóra n’était pas gouvernante pour rien. Elle prenait son travail au sérieux et trouvait des solutions pour tout. Je me souviens l’avoir vue un jour verser du vin blanc sur une tache de vin rouge et ça a marché, curieusement. Pourquoi cette question ?

3

L'entretien avec Óskar fut bientôt terminé. Au moment où Ari Thór allait chercher Reynir dans l'autre pièce, Arnór vint à lui.

– Est-ce que vous avez besoin de me parler ? demanda-t-il avec prudence.

– C'est mon intention, oui.

– Je peux passer en premier ? Il faudrait que je rentre chez moi… Je n'avais pas prévu de m'absenter si longtemps, vous comprenez. Mais comme il y avait du bon whisky, je n'ai pas pu refuser l'invitation de Reynir.

– Vous avez donc bu jusque tard dans la nuit ?

– On peut le dire. Reynir et moi, on ne s'est pas couchés tôt, bafouilla-t-il.

– Ce serait peut-être une bonne idée que je vous raccompagne chez vous, comme ça on pourrait parler pendant le trajet. Si ça se trouve, vous avez encore de l'alcool dans le sang.

Arnór s'apprêtait à protester, mais il changea d'avis et se rassit. Ari Thór demanda à Reynir de le suivre.

Comme Tómas se trouvait dans le bureau, en plein milieu d'une conversation téléphonique, ils attendirent de l'autre côté de la porte.

– On n'est jamais tranquille avec vous dans les parages, dit Reynir sur un ton badin, mais Ari Thór comprit qu'il ne plaisantait pas. Vous accaparez mon bureau des journées entières. Je ne peux plus rien faire.

– Ah bon ? Parce que vous étiez censé travailler aujourd'hui ?

– Dans mon travail, on ne s'arrête jamais. Les marchés américains vont rester ouverts jusque tard ce soir, et j'ai des affaires dans d'autres parties du monde, se rengorgea-t-il.

– Nous aussi, on a du boulot, répliqua Ari Thór.

– Vous ne seriez pas en train de faire une montagne d'une fourmilière ? demanda Reynir. Une vieille femme malade meurt dans la nuit, et voilà que vous débarquez en force. Il ne manque plus que les sirènes !

Au fond de lui, Ari Thór dut admettre qu'il avait sans doute raison, mais ce décès lui paraissait suspect. Thóra n'avait pas eu le temps de s'occuper de la tache sur le tapis, et pourtant quelqu'un avait rangé le verre, probablement pour effacer toute trace de conflit. Sauf qu'il n'était pas allé jusqu'au bout. Il avait sans doute agi dans l'urgence, sans réfléchir.

Ari Thór n'eut pas le temps de répondre – la porte s'ouvrit.

– Entrez, aboya Tómas.

Il avait l'air épuisé. Ce deuxième décès, qu'ils espéraient être le dernier, semblait le tourmenter.

– C'était ta femme ? demanda gentiment Ari Thór à voix basse, moins par curiosité que pour le mettre de meilleure humeur.

– Non, répondit Tómas d'un ton bourru, comme si la question était ridicule. Je parlais à un collègue du Sud, un gars de mon équipe, je veux dire. Je lui ai demandé de regarder si l'un des ministères n'aurait pas une liste des enfants hébergés ici, vu que le gouvernement subventionnait leur séjour.

Il jeta un coup d'œil à l'horloge.

– J'espère qu'il réussira à joindre quelqu'un ce matin, avant que tout le monde parte en congé. Le temps presse.

Ari Thór nota que Reynir suivait avec intérêt leur conversation. Tómas l'avait aussi remarqué.

– Vous vous souvenez d'une certaine Sara ? demanda-t-il. Elle est venue passer l'été ici, il y a longtemps.

– Sara… répéta Reynir, l'air pensif. Je me rappelle que Thóra a accueilli des jeunes chaque été pendant plusieurs années. Si on l'a fait, c'est que ça rapportait des sous dans la maison. Mais j'ai beau chercher, je ne me souviens d'aucun nom… dit-il en leur adressant un généreux sourire. Quel rapport avec l'affaire ?

Tómas était bien décidé cette fois à ne pas lâcher les rênes.

– Thóra a prononcé son nom hier.

– Ah oui ?

– Elle a parlé d'une Sara. Or Óskar se souvient qu'une Sara est venue ici.

– Je ne me rappelle pas, mais l'alcool joue des tours à la mémoire, et j'ai pas mal bu hier, lança gaiement Reynir. Cela dit, je comprends très bien qu'Óskar se souvienne d'elle.

– Comment ça ?

– Je me suis souvent posé des questions sur l'amitié qui le liait à Ásta…

– Pour quelle raison ? dit Tómas, le visage grave.

– Rien de spécial. Mais je ne suis pas le seul à m'être interrogé.

– Voyez-vous une autre Sara à qui elle aurait pu faire allusion ?

Reynir prit le temps de réfléchir.

– Pour être honnête, je ne vois personne de ce nom-là.

– Comment s'appelait votre mère ?

– Emilía, répondit-il simplement, comme s'il n'avait rien à ajouter.

Ari Thór connaissait Tómas bien assez pour deviner qu'une réponse si succincte ne pouvait que provoquer d'autres questions de sa part.

– Quand est-elle morte ?

– Il y a longtemps. En 1970.

– Et Thóra vous a en quelque sorte servi de mère après ça, prononça lentement Tómas.

– Si je vous ai dit qu'elle avait pris la place de ma mère, il ne faut pas me prendre au mot, asséna Reynir. C'est vrai qu'elle s'est toujours montrée très gentille avec moi, et qu'elle m'a beaucoup appris. Elle devait avoir vingt-quatre ou vingt-cinq ans à la mort de ma mère. Comme j'avais six ans, elle me semblait très âgée, dit-il en riant de sa plaisanterie.

Pourtant son rire sonnait faux, comme s'il était gêné.

– De quoi est-elle morte ?

Il prit une grande inspiration avant de répondre.

– Accident de cheval.

– Elle a été tuée sur le coup ?

– Oui. La nuque brisée.

– Les circonstances de sa mort ont-elles paru suspectes à l'époque ? Je veux dire, y avait-il matière à se poser des questions ? demanda Tómas.

Reynir se redressa sur son siège avant de se pencher vers eux.

– J'en ai assez de ces insinuations ! dit-il en haussant la voix. À vous entendre, tous les décès survenus dans la région sont louches. C'était un accident, voilà tout. Même si ma mère savait monter, ce sont des choses qui arrivent.

– Vous pratiquez vous-même l'équitation ?

– Je possède un grand nombre de chevaux. J'ai probablement le plus grand élevage de ma région. Ma mère les adorait, et mon père a vu là l'occasion de se faire de l'argent. Et il y a réussi – il réussissait toujours tout. Aujourd'hui, c'est Arnór qui gère ça pour moi. Il propose même de superbes randonnées à cheval en pleine nature, vous savez, pour les touristes…

Il semblait soudain mal à l'aise.

– Vous n'avez pas répondu à ma question, lui fit remarquer Tómas innocemment.

– Si je fais de l'équitation ? reprit Reynir avec un sourire. Non, ça fait des années que je ne suis pas monté à cheval – depuis la mort de ma mère, en fait. D'ailleurs, je n'étais pas ravi que mon père garde l'affaire. Il aurait dû la revendre il y a longtemps. En termes financiers, je ne verrais pas la différence.

Sa gêne se faisait de plus en plus palpable.

– Qu'est-ce qui vous empêche de revendre les chevaux ? Puisque votre père vous a quitté, j'imagine que la décision vous appartient.

– J'aimerais bien, mais je ne veux pas mettre Arnór et Thórhalla dans l'embarras. Je ne peux pas leur faire ça.

Ari Thór s'immisça dans la conversation.

– En parlant d'Arnór… Vous connaissiez son père, non ? Heidar. Il venait souvent par ici ?

– Souvent ? répéta Reynir, c'est-à-dire ? Comme Arnór, il était toujours le bienvenu, mais il n'a jamais travaillé pour nous. Il avait sa propre ferme à gérer. Je le connaissais à peine. Nous ne sommes pas de la même génération, si vous voyez ce que je veux dire.

– Était-il ami avec votre père ? poursuivit Ari Thór.

– Mon père n'avait pas beaucoup d'amis, grogna Reynir comme s'il s'agissait d'un sujet douloureux. Il n'avait pas le temps. Les seules personnes avec qui il gardait le contact sont celles qui pouvaient lui être utiles.

S'il paraissait logique à Ari Thór d'embrayer sur la relation entre le père et le fils, il se retint néanmoins d'aborder le sujet. Lui-même n'aurait pas aimé répondre à ce type de questions, et l'enquête ne justifiait pas qu'il s'engage sur le terrain glissant des rapports familiaux. Il se rappela aussi qu'à ce stade de l'enquête, aucun soupçon ne pesait sur Reynir.

– Pour moi, Heidar et Thóra étaient intimes, ajouta Reynir.

Interrompu dans ses pensées par cette remarque inattendue, Ari Thór scruta le visage de Reynir.

– Intimes à quel point ? demanda-t-il, tout en guettant sa réaction.

– Comment voulez-vous que je sache ? maugréa Reynir. On a dû vous dire qu'Heidar était un homme marié. Mais bon… tel père, tel fils.

Ari Thór décida de ne pas relever. Il préféra changer de tactique.

– Thóra aurait laissé entendre hier soir qu'à la mort de Sæunn, l'enquête a conclu à un suicide pour ne pas contrarier votre père. Êtes-vous d'accord avec ça ?

– Bien sûr que non, enfin ! s'insurgea Reynir. Thóra pouvait être à l'occasion une vraie langue de vipère. Il n'y a rien à comprendre, et de plus, elle n'avait pas lésiné sur le vin.

Il soupira, dans un effort pour se calmer. Quand il reprit, il choisit ses mots avec soin.

– On est tous sous pression, ici, ce qui ne vous surprendra pas. J'ai demandé à Óskar et Arnór lequel des deux avait couché avec Ásta, ce qui, je le reconnais, n'était pas très délicat de ma part.

– Vous dites qu'il n'y a rien à comprendre. Est-ce qu'autre chose vous aurait marqué, dans la conversation ?

– Eh bien, maintenant que vous posez la question… Elle a dit que quelqu'un s'était enfermé ce jour-là sans donner d'explication. Elle a parlé d'un jeu de cache-cache, je crois. Je ne sais pas à quoi elle faisait référence, mais elle ne me visait pas. Il m'arrive de m'enfermer dans mon bureau quand j'ai du travail, mais ça n'a rien de suspect. Non, je pense qu'elle faisait allusion à son frère. Cela dit, je ne vois pas ce qu'il pourrait bien cacher.

Ari Thór l'avait maintenant compris : les quatre personnes qui avaient passé la soirée de la veille à boire ensemble n'étaient pas liées par une amitié très profonde. Chacun à leur tour, ils s'étaient empressés d'orienter les soupçons vers l'autre, pour les décès passés comme pour les récents. Et Thóra – la morte en personne – avait elle aussi participé à ce petit jeu vicieux.

4

Ils venaient tout juste d'en finir avec Reynir quand Hanna vint les prévenir que l'examen approfondi du sous-sol était terminé et qu'une ambulance avait emporté le corps. Tómas et Ari pouvaient désormais jeter un coup d'œil au phare s'ils le souhaitaient.

Ari Thór avait proposé à Tómas qu'ils raccompagnent Arnór chez lui en voiture pour l'interroger pendant le trajet. Tómas avait donné son accord, mais il tenait d'abord à inspecter le phare. Contrarié qu'on le fasse encore attendre, Arnór menaça de rentrer à pied chez lui.

– Libre à vous, lui dit Tómas. Vous avez certainement plein de choses à faire…

Ari Thór savait quel message il faisait passer derrière son ton parfaitement courtois : un homme qui n'a rien à cacher ne serait pas pressé de leur fausser compagnie.

Arnór patienta, l'air renfrogné.

La neige avait cessé pour le moment, mais le ciel restait lourd, et on n'échapperait sans doute pas à de nouvelles précipitations. Óskar offrit de les accompagner jusqu'au phare en faisant un détour par la fameuse falaise. Tómas accepta avec plaisir, tout en précisant que seuls Ari Thór et lui pénétreraient dans le phare.

– Pas de problème, dit Óskar. Je ne compte plus les fois où j'ai visité le phare, je n'ai aucune raison d'y monter aujourd'hui. De toute façon, avec mon genou, j'aurais du mal à grimper l'escalier.

Ils sortirent ensemble dans le froid mordant et prirent le chemin qui contournait la maison.

– Comme vous le voyez, la maison est construite dans un creux au beau milieu du cap, de sorte qu'on n'a aucune vue sur la falaise, sauf depuis le grenier. On n'aperçoit que le phare, dit Óskar en claudiquant le long de la pente, les deux policiers à sa suite.

Derrière la maison s'étendait une pelouse bordée d'arbres rabougris assez robustes pour résister au climat orageux du cap.

– C'est vous qui entretenez le jardin ? demanda Ari Thór à Óskar.

– Le jardin ? Non. C'était Thóra, la responsable du jardinage, dit-il d'une voix brisée par l'émotion. Je ne vois pas qui va s'en occuper maintenant qu'elle a disparu...

Les mots lui venaient difficilement. Comme pour changer de sujet, il désigna du doigt les restes d'un vieux bâtiment au fond du jardin.

– C'est là que se trouvait l'école, celle dont je vous ai parlé. Ce sont les ruines les mieux préservées de toutes. Le temps a eu raison du vieux bourg. Il est difficile aujourd'hui d'imaginer qu'il y avait ici un village, alors qu'il ne reste quasiment rien des maisons de tourbe.

Ils progressaient doucement, au rythme de l'homme au genou blessé.

– Et voici les falaises. Les terribles falaises, répéta Óskar dans un souffle.

Ari Thór s'approcha du bord avec prudence. Même si la neige rendait la pierre glissante, il saurait garder son équilibre. Il avait déjà vu de plus hautes falaises, mais cette fois l'à-pic était impressionnant, il tremblait de voir ce qui attendait le malheureux qui trébucherait… les arêtes vives des colonnes de basalte, les rochers le long du rivage, la mer sombre. Le vent glacé venu du nord se chargea de rappeler à Ari Thór où il se trouvait : à la lisière du monde habitable.

Il eut une pensée pour Sæunn et ses filles, Tinna et Ásta. Il se demandait si ce paysage mystérieux et magnifique cachait quelque chose d'indécelable qui les avait hypnotisées toutes les trois. Puis il se reprit, et tenta de chasser de son esprit ces délires pour revenir à la raison. C'est l'esprit dérangé de Sæunn qui l'avait poussée à se donner la mort, et elle avait choisi cet endroit par hasard. Si Tinna et Ásta étaient tombées du haut de la même falaise, il devait y avoir une raison. Voilà la seule explication logique – et Ari Thór avait décidé de s'en tenir aux faits.

Il contempla le phare. Le bâtiment, d'une honorable simplicité, semblait les attendre. Pour quelle raison Ásta était-elle venue ici ? Avait-elle trouvé la mort dans ce phare, comme le laissaient supposer les indices ?

Qui es-tu venue retrouver dans ce phare, Ásta ?

Il se retourna et fit un pas sur la roche détrempée pour se pencher au-dessus du vide. L'espace d'une seconde, en contemplant les vagues au pied de la falaise, il lui prit la folle envie de sauter. Mais il savait résister à ce genre de pulsion et recula d'un pas. C'est alors qu'il glissa. Il se sentit perdre l'équilibre. Il n'avait pas le temps d'appeler au secours – il devait rassembler toute son énergie pour s'empêcher de tomber.

Il tenta de se rétablir en utilisant ses bras comme balancier. Le souffle coupé, le cœur battant, il se demandait ce qu'il adviendrait s'il perdait pied : aurait-il la moindre chance de survivre à la chute ?

Il réussit enfin à basculer son poids vers l'arrière et tomba lourdement sur le dos.

Il ressentit alors un incroyable soulagement. L'enfant à naître avait bien failli perdre son père…

Il entendit Tómas l'appeler.

– Nom de Dieu, jeune homme, évite d'avoir un accident toi aussi ! lança-t-il d'une voix inquiète.

Ari Thór se releva. Il était sain et sauf.

– Tout va bien, je n'ai rien, dit-il d'une voix tremblante.

Le vent soufflait dans ses oreilles et il lui semblait entendre le cri des mouettes. Le temps de retrouver ses esprits, il regarda autour de lui pour admirer la baie de Kálfshamarsvík et ses majestueuses colonnes de basalte.

– Allez, au phare ! finit-il par articuler.

Ils poursuivirent leur chemin. À l'approche de la tour peinte en blanc, il se retourna. D'ici, on apercevait les falaises escarpées d'où il avait failli tomber.

– Il a été érigé il y a soixante-dix ans, dit Óskar. Il est plus vieux que moi, c'est vous dire !

– Vieux et impressionnant, dit Tómas en sortant la clé de sa poche. Quelle hauteur fait-il ?

– La tour elle-même mesure treize mètres environ, plus trois mètres pour la salle de la lanterne, qui abrite la lampe. Je vais vous attendre ici.

– Merci, dit Tómas avant d'ouvrir la porte.

Ari Thór leva les yeux. Au-dessus de la porte d'entrée, une croix inversée avait été gravée dans la pierre. Il était loin d'être religieux : Dieu l'avait abandonné le jour où il avait perdu ses parents. Plus tard, il avait choisi d'étudier la théologie – c'était il y a longtemps, avant d'entrer dans la police – sans doute pour tenter de renouer avec la foi.

Ari Thór dut se plier en deux pour passer la porte. Quand il se redressa, il se retrouva dans une sorte de caverne d'où partait un escalier en colimaçon cerné par les murs. Il faisait probablement plus froid à l'intérieur du phare qu'au-dehors.

Tómas ferma la porte derrière eux. Pris de malaise, Ari Thór n'avait qu'une envie : s'enfuir.

– C'est donc ici que cette pauvre fille a été assassinée, dit Tómas.

Ari Thór dut se concentrer pour distinguer ses mots tant sa voix se noyait dans l'écho.

– Ce n'est pas encore sûr, dit Ari Thór, quoique persuadé lui aussi.

– Ça m'en a l'air, en tout cas. On n'est pas loin de la falaise, il ne serait pas difficile d'y traîner un corps pour le précipiter dans le vide. Et de la maison, on ne voit pour ainsi dire ni le phare ni la falaise.

– Sauf depuis le grenier, bien sûr.

– Et la seule personne qui l'occupait a trouvé la mort.

Il n'y avait rien à l'intérieur du phare. Les murs étaient peints en blanc, comme à l'extérieur. De l'autre côté de la porte, d'étroites fenêtres tout en hauteur munies d'une épaisse vitre laissaient filtrer la lumière sans pour autant offrir de vue. Calés contre le mur, des pelles et des balais. Des étagères ornaient deux des murs, et un banc de bois avait été installé sous les fenêtres. En levant les yeux, Ari Thór aperçut encore des marches, des paliers et des fenêtres. L'espace n'en finissait pas de s'élever ; ce n'était pas l'endroit idéal pour qui souffrait de vertige.

Hanna avait précisé à Tómas que les taches de sang se trouvaient sur le mur en bas de l'escalier. Il s'en approcha.

– Le tueur, quel qu'il soit, a conduit Ásta ici pour une raison précise, dit Tómas, plus pour lui-même que pour Ari Thór. Ils se sont disputés et, sans réfléchir, le meurtrier a projeté Ásta contre le mur.

Il se tut quelques secondes.

– Ça tient la route, non ? conclut-il en interrogeant Ari Thór du regard.

– C'est un scénario à envisager, répondit-il, l'air pensif.

Tómas gravit quelques marches.

– Tu montes ? fit Ari Thór, surpris.

– Bien sûr. Ne serait-ce que par curiosité. Tu sais quoi ? Ce phare est célèbre pour son architecture. Il a souvent été pris en photo, dit-il avant de progresser jusqu'au premier palier.

Ari Thór fit en sorte de le rattraper. Les marches avaient l'air assez robustes, mais la rambarde, trop basse, semblait avoir été installée pour faire joli. Un pas de travers pouvait vous coûter cher.

Il entendit parler Tómas, mais ses propos se noyèrent dans l'écho.

Tómas s'arrêta et se retourna pour le regarder.

– Tu as entendu ? C'est incroyable, non ?

Il hocha la tête, même s'il n'était pas aussi impressionné que lui. Le temps qu'il accède au premier palier, Tómas avait déjà disparu.

Arrivé au troisième étage, il ne put s'empêcher de regarder en bas. Cela représentait une chute de dix mètres sur un sol en béton, avec pour seul rempart contre la mort une rambarde inadaptée. Il se sentit pris de vertige et se retourna vers les murs glacés derrière lui. La sueur perlait à son front. Lui qui n'avait jamais eu peur des hauteurs, elles semblaient désormais le terrasser. L'incident survenu en haut de la falaise l'avait clairement traumatisé.

Il resta immobile quelques instants, le temps de se calmer.

À nouveau, il perçut l'écho de la voix de Tómas.

– Tu viens ?

Ari Thór confirma, même s'il doutait que sa réponse parvienne à Tómas de manière intelligible. Il s'épongea le front et gravit avec précaution la dernière volée de marches pour accéder au palier muni d'un tableau électrique et de batteries, d'où partaient cette fois deux escaliers.

– Enfin ! dit Tómas en souriant. On dirait bien que cet escalier mène à la salle de la lanterne. On monte profiter de la vue ? L'autre escalier grimpe probablement au balcon. Vu le vent glacé, je n'ai pas envie de m'y aventurer.

Il poursuivit son ascension et Ari Thór le vit se faufiler à travers une trappe étroite dans laquelle, avec quelques kilos de plus, il serait resté bloqué. Il le suivit. Son vertige avait disparu, mais il ne se sentait pas plus à l'aise dans cet espace confiné, même avec la vue panoramique. On distinguait clairement l'immense baie de Húnaflói, plus loin la côte des Strands et les majestueuses montagnes au cœur des terres. Ce spectacle lui rappela combien la nature était grandiose, mais cruelle aussi. La mer se montrait impitoyable et les montagnes se révélaient dangereuses pour qui ne les respectait pas.

On discernait tout aussi clairement la maison du cap, et les falaises sournoises.

Ils ne s'attardèrent pas dans la salle de la lanterne. Suivant l'exemple de Tómas, Ari Thór redescendit l'escalier raide en tenant fermement la rampe. Arrivé au bas des marches, il se sentit soulagé.

Il fut surpris de constater qu'Óskar les avait attendus à l'extérieur du phare. Adossé au mur, le regard perdu au-delà des rochers, on aurait dit qu'il avait gelé sur place. Il ne remarqua pas tout de suite leur présence.

– Et voilà, dit Ari Thór à voix haute.

Óskar sursauta. Son regard douloureux, lourd de chagrin, suscita chez Ari Thór un élan de sympathie pour le vieil homme. Il avait envie de demander à Óskar quelles pensées, quels souvenirs le rendaient si triste.

– Alors, impressionnés ? C'est une belle construction, dit-il, l'air songeur.

– On peut le dire, acquiesça Tómas.

Comme à l'aller, ils suivirent Óskar jusqu'à la maison d'un pas lent et prudent.

Devant la porte, il se tourna d'un seul coup pour leur faire face. Son visage était sombre.

– Si quelqu'un a fait du mal à Thóra, dit-il d'une voix mesurée, promettez-moi de trouver ce salopard. Je n'arrive pas à me faire à l'idée que le coupable est soit Arnór, soit Reynir. Je les connais tous les deux depuis des années. Mais si l'un des deux l'a tuée...

Il n'avait pas besoin d'en dire plus. Ses yeux brillaient de haine. Il détourna le regard et, d'un pas lourd, entra dans la maison.

5

– Prenez garde à ne pas atterrir dans l'étang, prévint Arnór depuis la banquette arrière du véhicule.

C'était un bien curieux endroit pour un entretien, mais après tout, rien dans cette enquête menée une veille de Noël aux confins de l'Islande du Nord n'était normal. Tómas donna un sérieux coup de frein tout en regardant autour de lui.

– Quel étang ? demanda-t-il.

Arnór tendit le doigt.

– Il y a un petit étang là-bas sur la pointe, mais on le discerne à peine d'ici. Il est gelé, et la neige empêche de le voir, mais je pense que vous ne courez pas grand risque : il nous reste une bonne distance avant de tomber dans l'eau.

Tómas poussa un grognement et fit marche arrière sur le sentier défoncé pour gagner la route principale.

– J'ai failli y passer, un jour, dit Arnór. Il y a des années. J'étais gamin. La glace s'est brisée sous mes pieds, mais heureusement, j'ai été sauvé.

– Par qui ? demanda Ari Thór.

– Reynir se trouvait à deux pas. Il m'a entendu appeler au secours. Il est accouru pour me tirer de là.

– Vous êtes amis proches ?

– Moi et Reynir ? demanda Arnór, avant d'observer un silence éloquent. On se connaît depuis toujours, finit-il par dire, et on s'entend très bien. Mais on a dix ans d'écart, donc on n'a jamais été amis d'enfance. En plus, il a aussi une résidence dans le Sud.

Ari Thór lança un regard à Arnór par-dessus son épaule. Cet homme lui paraissait sympathique, agréable et digne de confiance. Les deux autres – Óskar et Reynir – laissaient entendre qu'Arnór avait trompé sa femme, mais ces rumeurs étaient-elles fondées ? Arnór avait-il vraiment couché avec Ásta ?

– Pourquoi êtes-vous allé au cap hier soir ? demanda Ari Thór.

– Un décès, c'est toujours un traumatisme, non ? D'autant plus quand vous vous retrouvez au cœur d'une enquête de police. Je pensais que ça me ferait du bien de les voir et d'en parler avec eux. Et je ne me suis pas trompé. Après un ou deux verres, Reynir m'a proposé de rester, et j'ai accepté.

– Donc notre visite d'hier vous a stressé ? suggéra innocemment Ari Thór.

Il s'efforçait de garder un ton jovial : Arnór paraissait en effet plus enclin à se livrer quand il n'était pas sous pression.

– On peut le dire. Je me sentais terriblement coupable de lui avoir confié la clé du phare. C'est ce que je leur ai dit, hier. Reynir et Óskar doivent me considérer comme le suspect numéro un, lança-t-il dans l'espoir qu'Ari Thór et Tómas le contrediraient.

À la place de quoi ses paroles furent suivies d'un silence douloureux, que Tómas finit par rompre.

– On pense avoir retrouvé la clé, dit-il.

– Où ça ?

– Ásta portait sur elle une clé qui correspond à la description, attachée seule à une breloque rouge.

– Dieu merci, grommela Arnór.

Ari Thór brûlait de lui préciser qu'il n'était pas encore sorti d'affaire.

– Avez-vous remarqué quoi que ce soit d'inhabituel dans la soirée ou dans la nuit ? demanda Tómas.

– Dans la nuit ?

– Contentez-vous de répondre à ma question, lui ordonna Tómas d'un ton plus rude que nécessaire.

– J'ai dormi comme une souche dans l'une des chambres d'amis de l'étage principal. Mais je sais qu'ils se sont tous montrés plus agressifs que d'habitude la nuit dernière. Ils n'ont pas pris de pincettes. Tout le monde est à cran depuis.

– Comment ça ? reprit Ari Thór avec douceur. Vous pourriez nous donner un exemple ?

– Óskar s'est mis en colère quand Reynir a commencé à parler de fantômes au sujet des morts de la falaise. Il n'avait pas l'air d'apprécier. Et apparemment, Thóra pensait qu'il y avait un invité dans la maison le soir où Sæunn est morte, il y a des années.

– Est-ce qu'elle en a dit un peu plus à ce sujet ?

– J'ai dit que ce n'était pas moi, lâcha Arnór avant d'éclater d'un rire nerveux. Mais elle a précisé qu'elle ne pensait pas à moi.

– Dans ce cas, vous savez à qui ?

Arnór mit quelques secondes à répondre, de sorte qu'Ari Thór considéra comme un mensonge le « non » qu'il finit par articuler d'un ton calme.

– Vous êtes sûr ? insista-t-il, bien décidé à ne pas lâcher. À votre père, peut-être ?

Ari Thór s'attendait à ce qu'Arnór s'offusque de cette suggestion. Du coup, il fut étonné d'entendre sa réponse.

– Ça se peut, murmura-t-il.

– Avez-vous des raisons de le penser ?

– Pas vraiment. D'après ce qui s'est dit hier, je crois qu'il a passé cette nuit-là avec Thóra. Et à mon avis, ma mère avait conscience que leur amitié était plus profonde qu'il n'y paraissait. C'est ce que j'ai compris pour ma part en grandissant, en tout cas. Mais ils s'en sont bien sortis au final – mes parents, je veux dire. Ils ne se sont jamais séparés. Cela dit, j'avoue que ça me faisait un drôle d'effet de côtoyer Thóra en sachant ce qui se passait.

Ari Thór n'était pas sûr d'adhérer à la vision qu'avait Arnór du mariage, mais il s'abstint de tout commentaire.

– Plus tard, Thóra a parlé d'une femme, poursuivit Arnór. Je ne sais pas de qui il s'agissait, je ne me rappelle même pas son nom.

– Sara ?

– Sara. Oui, c'est possible.

– Vous savez à qui elle faisait référence ?

– Pour être honnête, non. Une vieille amie, peut-être ? Je ne vois rien d'étrange là-dedans.

Le téléphone de Tómas sonna. Il consulta l'écran et hésita quelques secondes avant de prendre l'appel.

– Oui... oui. Je suis encore dans le Nord pour un bon moment, dit-il à voix basse. Je n'en sais rien... Bien sûr que je vais essayer d'être là ce soir... Bien sûr, mon cœur... Trois heures et demie jusqu'à la ville. D'accord, je te rappelle.

Il rangea le téléphone dans sa poche et toussa.

– Pardon.

– Pas de problème, répondit poliment Ari Thór.

Tómas quitta la route pour prendre le raccourci jusqu'à la ferme où ils s'étaient rendus la veille.

– Et si je vous disais que le père de Reynir pourrait avoir fait obstruction à l'enquête menée à la mort de Sæunn, et peut-être à celle qui a suivi le décès de Tinna ? Qu'en pensez-vous ? commença Ari Thór à l'arrêt du véhicule.

La réponse d'Arnór ne se fit pas attendre.

– Ça ne m'étonnerait pas. C'était bien son genre, il avait une réputation à défendre. Personne n'a envie de voir son jardin désigné comme potentielle scène de crime.

– Apparemment, vous auriez l'intention de vous lancer dans le tourisme – de construire des chalets etc. Est-ce que notre enquête pourrait nuire à vos projets ? demanda Ari Thór.

– Mon Dieu, non. Nous ciblons les étrangers, pas de risque qu'ils entendent parler des deux policiers qui enquêtent depuis deux ou trois jours sur un décès.

– On est d'accord, dit Tómas en détachant chaque syllabe. Tant que vous n'êtes pas soupçonné de meurtre, tout ira bien.

Il parlait d'une voix froide comme de la glace. Ari Thór fut surpris par sa remarque, tout comme Arnór, qui ne tenta même pas de l'esquiver.

– Comment ça ? Je fais toujours partie des suspects ?

Tómas ne répondit pas. Il laissa le silence s'installer avant de croiser le regard d'Arnór dans le rétroviseur.

– Reynir vous a demandé si vous aviez couché avec Ásta, non ?

– En effet, dit Arnór avec désinvolture avant de respirer profondément. J'avais oublié. Il nous a posé la question à moi et Óskar. Je ne pense pas qu'il était vraiment sérieux.

– Et vous lui avez répondu quoi ? Vous avez couché avec elle ?

Arnór finit par perdre patience – ce qui était probablement le but recherché par Tómas : le déstabiliser. Ari Thór, de son côté, aurait préféré maintenir Arnór dans sa zone de confort, pour qu'il se sente à l'aise le plus longtemps possible et finisse par laisser échapper une information.

– J'ai déjà répondu hier, aboya-t-il avec colère.

– Donc vous vous en tenez à cette version des faits ? dit Tómas sans hausser le ton.

– Cette version des faits ? C'est la vérité pure et simple ! Je peux y aller, maintenant ?

– Je vous en prie, répondit Tómas poliment. Merci pour votre aide.

Arnór ouvrit brusquement la portière et sortit de la voiture. Il se trouvait à mi-distance de la maison quand Tómas baissa sa vitre pour l'appeler.

Arnór s'arrêta.

– Quoi ? dit-il en le dévisageant.

– Je ne vous reverrai pas avant Noël, donc je voulais juste vous souhaiter un joyeux Noël.

– Pardon ? Ah… Joyeux Noël, bougonna Arnór avant de s'éloigner.

6

– Tu crois que j'y suis allé trop fort ? demanda Tómas en allumant la radio.

Une musique de Noël envahit la voiture.

– Voilà, mettons-nous dans l'ambiance, il serait temps ! plaisanta-t-il.

Ari Thór n'était pas sûr que Tómas attendît une réponse.

– Peut-être, dit-il. C'était intéressant de voir sa réaction. Il a une personnalité assez agréable, mais il est soupe au lait.

– Tout à fait d'accord. On va tirer ça au clair, ne t'en fais pas. Mais j'aurais peut-être dû me montrer plus prudent. Cela dit, j'en ai assez de cette affaire, surtout pour aujourd'hui. L'appel de tout à l'heure, c'était ma femme. On devait dîner ensemble ce soir avec mon fils. Mais sa petite amie l'a invité à partager la dinde chez ses parents, et il ne pouvait pas refuser…

Il marqua une pause.

– Du coup, ma femme va se retrouver toute seule à Noël si je ne la rejoins pas. Donc on retourne voir la chambre de Thóra et après, fini pour aujourd'hui.

– Ça me va.

Ari Thór sortit son téléphone pour appeler Kristín. Elle décrocha au bout de deux ou trois sonneries.

– Coucou, dit-elle d'une voix enjouée.

– Coucou, tout se passe bien ? De notre côté, on a presque fini, donc on devrait pouvoir rentrer à Siglufjördur ce soir.

– Génial. Je viens de trouver la maison du vieux, à Saudárkrókur. S'il vit toujours chez lui à son âge, c'est qu'il doit être en forme. Dans tous les cas, on verra bien s'il s'agit d'une mauvaise piste. Sa famille connaissait mon arrière-grand-père, mais ça ne veut pas dire qu'il saura quoi que ce soit.

– Alors bonne chance, mon amour.

– Et vous, ça avance ?

– On progresse petit à petit…

S'ils avaient avancé plus vite, pensait-il, il aurait accepté de bonne grâce de passer Noël à l'hôtel.

– Elles sont comment, les routes, là-bas ?

– Ça va. On a eu de la neige, et il y a des plaques de verglas par-ci par-là.

Ari Thór sentit une boule d'angoisse se former dans son ventre.

– Je t'en supplie, sois prudente.

– Ne t'en fais pas. On se retrouve dans une heure ou deux à Blönduós. J'en ai pour quarante-cinq minutes de route, pas plus.

– Parfait.

La musique de la radio combla le silence qui suivit. Pas besoin d'en dire plus. Ils avaient fait de leur mieux et pourtant, ils se retrouvaient dans une impasse. Ari Thór pensa à la soirée qui s'annonçait. Il jeta un coup d'œil à l'horloge. Avec un peu de chance, ils rentreraient à temps pour préparer le jambon de Noël. Il avait acheté pour Kristín une paire de boucles d'oreilles et un livre. Est-ce que ça suffisait ? De toute façon, il n'avait pas le temps de faire mieux. Et pas question de lui trouver un cadeau de dernière minute dans une station-service.

Ils avaient déjà tourné vers le cap et rejoignaient la maison quand le téléphone de Tómas se remit à sonner. Il ralentit pour prendre l'appel. La conversation fut de courte durée, Tómas se contentant de répondre par monosyllabes. Ari Thór vit son regard s'assombrir à chaque seconde qui passait.

– Vous pouvez nous attendre ? dit-il enfin. Assurez-vous que personne ne descende au sous-sol avant qu'on ait pu jeter un coup d'œil aux affaires de Thóra.

Tómas raccrocha, arrêta la voiture et, à la surprise d'Ari Thór, fit demi-tour sur l'étroite piste de gravier pour les ramener d'où ils venaient – la manœuvre n'était pas évidente, mais il s'en sortit.

Tómas attendit d'avoir passé la dernière vitesse pour expliquer à Ari Thór pourquoi ils s'éloignaient de Kálfshamarsvík.

– Il nous a menti, cet enfoiré, lança-t-il d'une voix vibrante de colère.

Ari Thór savait d'expérience que Tómas avait bon caractère. Il pardonnait beaucoup de choses, mais ne supportait pas qu'on lui mente.

– Qui donc ?

– Arnór, bien sûr. Je viens d'avoir Hanna, suite au relevé d'empreintes. Apparemment, il a laissé les siennes dans la chambre d'Ásta.

– Lui qui prétendait n'y être pas monté depuis des années, si je me souviens bien…

– Exactement. S'il a dit ça, il a sans doute menti sur d'autres points. À mon avis, c'est lui qui a couché avec elle, et on va démêler ça tout de suite. Fini de tourner autour du pot.

Il s'interrompit et se cramponna au volant. Il bouillait littéralement de rage.

– Tu sais ce que ça va lui coûter, de mentir ?

Ari Thór ne dit rien. Tómas allait lui donner la réponse.

– Il va passer Noël en prison, asséna-t-il.

7

Thórhalla leur ouvrit la porte. Elle avait l'air à la fois désolée et résignée – apparemment, elle savait de quoi il retournait.

– Vous voulez voir Arnór ? demanda-t-elle spontanément.

Tómas acquiesça.

– Je vais le chercher, dit-elle, la voix brisée.

Arnór apparut quelques instants plus tard, suivi de Thórhalla.

– Je vais vous demander de nous accompagner au commissariat pour faire une déposition, dit Tómas d'une voix encore plus grave que d'habitude. Vous êtes désormais considéré comme suspect dans le cadre d'une enquête sur les décès d'Ásta Káradóttir et de Thóra Óskardóttir. Vous avez le droit de garder le silence. Vous avez le droit de consulter un avocat avant de faire votre déposition. Nous pouvons vous en fournir un si besoin.

Pris au dépourvu, Arnór resta un moment sans bouger. Tómas attendit patiemment qu'il retrouve ses esprits. Ari Thór ne quittait pas Thórhalla des yeux ; elle n'avait pas l'air très surprise de ce qui se passait.

Arnór était désormais livide.

– Bon Dieu, articula-t-il avant de s'effondrer dans un des fauteuils de l'entrée.

Il prit une grande inspiration avant de s'emparer de ses chaussures. Il les enfila, se mit debout et passa une doudoune noire.

– Je n'ai pas besoin d'un avocat. Je n'ai tué personne, dit-il avant de lancer un regard à sa femme. Vous commettez une erreur. Une grave erreur.

Elle lui adressa un sourire plein de chaleur.

– Je sais, mon amour.

– Suivez-nous, ordonna Tómas avant de regagner le véhicule.

Arnór obéit docilement.

Au moment de s'asseoir dans la voiture aux côtés de Tómas et d'Arnór, Ari Thór jeta un dernier coup d'œil à la maison et croisa le regard glacial de Thórhalla.

Assis devant une table au commissariat de Blönduós, Arnór buvait de l'eau dans une tasse en plastique. Il n'avait pas quitté sa doudoune noire. Il faisait froid dans le bâtiment, mais pas au point de devoir garder son manteau.

– Vous ne voulez pas d'un avocat, c'est sûr ? demanda aimablement Tómas.

– Sûr et certain, balbutia Arnór.

Dès ce moment, Ari Thór eut la certitude qu'ils avaient arrêté la mauvaise personne, malgré le luxe de preuves qui le rattachaient à l'affaire. Ásta avait eu une relation sexuelle dans sa chambre peu avant sa mort ; on avait trouvé ses empreintes alors qu'il prétendait ne pas y avoir mis les pieds. On saurait bientôt si les traces de sperme trouvées là lui appartenaient, s'il ne signait pas d'aveux d'ici là. L'autre élément embarrassant, c'est qu'il avait prêté à Ásta la clé du phare – où elle avait sans doute été tuée. Sans compter les rumeurs sur son infidélité. Et la dernière pièce du puzzle, c'est qu'il était invité à Kálfshamarsvík la nuit où Thóra avait trouvé la mort. Peut-être qu'il se faisait passer pour un brave gars alors qu'il n'avait en réalité aucune morale. Ari Thór avait déjà rencontré ce type de profils, et il avait failli se faire berner.

– Hier, vous avez dit n'être pas monté dans le grenier depuis des années contempler la vue depuis la chambre d'Ásta.

Le silence qui suivit s'éternisa.

– Oui… finit par articuler Arnór, dont les yeux roulaient de droite à gauche.

– Maintenez-vous cette version des faits ? demanda Tómas d'une voix dure.

Arnór garda le silence.

– Nous y avons trouvé vos empreintes, et je crois bien que vous y avez laissé un autre genre de traces. Je vais donc vous laisser une dernière chance de répondre à la question qu'on vous a posée deux fois déjà. Si vous mentez à nouveau, nous en aurons fini pour aujourd'hui et vous passerez Noël en prison. Donc : avez-vous couché avec Ásta ?

Arnór ne répondit pas tout de suite. Il baissa les yeux sur la tasse d'eau à moitié vide posée sur la table, évitant ainsi les regards des policiers.

– Oui… mais je ne l'ai pas tuée ! avoua-t-il, presque vaincu.

– Ça, c'est à nous de le déterminer, dit posément Tómas.

– Il faut me croire, supplia-t-il d'une voix tremblante. Je ne suis pas un assassin !

– Alors dites-nous la vérité. Que s'est-il passé exactement ?

– Elle m'a demandé la clé du phare. Pourquoi elle voulait aller là-bas, je n'en ai aucune idée, et je ne l'ai pas accompagnée, martela-t-il avant de faire une pause pour reprendre son souffle. Ce soir-là – la nuit de sa mort – je lui ai confié la clé après le dîner. Comme il était tard, je suis passé par la porte de derrière, d'où l'on peut monter directement au grenier. Je n'avais pas envie de déranger les autres occupants, vous comprenez…

– Vous y êtes allé dans l'idée de tromper votre femme ? intervint Ari Thór.

– Non… hésita Arnór. Ou alors…

– Ça ne va pas vous aider de raconter des mensonges, dit Tómas sèchement.

– Oui, j'espérais qu'il se passerait quelque chose, j'imagine. Il y avait comme une alchimie entre Ásta et moi.

– Elle ne savait pas que vous étiez marié ?

– Non. Enfin, je ne crois pas. Je ne porte presque jamais mon alliance, et j'ai fait attention de ne pas prononcer le nom de Thórhalla devant Ásta. Personne n'a parlé d'elle à table.

Sa voix vacillait.

– Donc tout était bien huilé ? avança Tómas avec dédain.

– Vous savez, notre mariage n'est pas très heureux, soupira-t-il. On fait du bon travail ensemble. On est en train de monter une affaire dans le tourisme, donc le divorce n'est pas à l'ordre du jour, en tout cas pas pour le moment. Mais bon… à part ça, on n'est pas proches du tout. C'est fini, ce temps-là…

Tómas acquiesça.

– D'après ce qu'on nous a dit, c'est son argent qui alimente votre ménage. C'est vrai ?

La question prit Arnór au dépourvu.

– Quoi ? Non, je ne dirais pas ça. Elle avait de l'argent de son côté, mais on l'a investi. On en a perdu une partie depuis, donc on met tout notre espoir dans le tourisme. Et puis, on a une sorte d'arrangement, un accord tacite, qui nous permet à chacun de… faire des rencontres.

– Et elle en profite autant que vous ? demanda Tómas, qui tenait fermement les rênes de la conversation.

– Je ne crois pas, avoua-t-il. Enfin… je ne sais pas.

– Vous en avez déjà parlé ensemble ?

– Non, pas vraiment.

– Selon vous, elle savait que vous étiez parti rejoindre Ásta cette nuit-là ?

– Bien sûr que non. Je suis sorti sans faire de bruit, pendant qu'elle dormait. Elle se couche tôt et elle a un sommeil de plomb.

– Il était quelle heure ?

– Je ne suis pas sûr. Vingt-trois heures ? Je ne me souviens pas.

– Et donc, vous avez rejoint Ásta ?

– Oui, et ça s'est passé… comme prévu.

– On a retrouvé des traces de sperme pas loin du mur qui porte vos empreintes, dit Tómas.

– On a fait ça contre le mur. Impossible de se mettre sur son vieux lit… il grinçait trop, disait-elle.

– Et puis c'est devenu violent, et vous lui avez serré la gorge ? On a trouvé des traces de blessures, des hématomes sur son cou, énonça lentement Tómas, avec calme.

– Mais non, enfin ! hurla Arnór. Ça ne s'est pas passé comme ça ! Les blessures n'ont rien à voir avec moi, cria-t-il, absolument consterné.

– Vous conviendrez que ça ne sent pas bon pour vous, dit Tómas, toujours aussi sérieux.

– Vous allez devoir en parler à ma femme ?

– Pour ça, comptez sur nous. On va voir si elle peut nous éclairer sur ce qui s'est passé cette nuit-là. Mais je ne vois pas où est le problème, vu que vous avez cet « accord tacite » qui vous permet d'aller coucher ailleurs…

Tómas ne prenait pas la peine de cacher le dégoût que lui inspirait l'infidélité d'Arnór.

Comme Arnór ne répondait pas, il continua.

– Combien de temps vous êtes resté avec Ásta ?

– Je ne sais pas exactement. Une heure, une heure et demie, sans doute.

– Et vous êtes rentré chez vous tout de suite après ?

– Oui.

– Votre femme pourra le confirmer ?

– Elle dormait à poings fermés.

– Quel dommage, dit Tómas.

Il marqua une pause avant de se redresser.

– Vous voulez entendre ma théorie ?

Tómas laissa passer un long silence, plus pour faire monter la pression, pensa Ari Thór, que pour laisser à Arnór le temps de répondre.

– Elle ne vous a jamais demandé la clé du phare. Vous êtes en effet revenu cette nuit-là pour coucher avec elle, comme vous l'aviez probablement décidé ensemble. Une fois finie la partie de plaisir, vous avez tous les deux décidé de réaliser un vieux fantasme en recommençant au phare. Je ne comprends pas très bien ce que ça peut avoir d'excitant – c'est un endroit étrange et glacial. Vous aviez sur vous la clé du phare. Après avoir ouvert la porte, Ásta l'a mise dans sa poche. Et c'est là que ça se corse – peut-être qu'elle était d'accord. De nos jours, les jeunes ont de drôles de mœurs. Enfin, ça a dérapé – soit elle a perdu connaissance, soit vous l'avez envoyée valser contre le mur. Elle est morte à ce moment-là. Alors, au lieu d'endosser la responsabilité de vos actes, vous avez profité de l'obscurité pour traîner son corps jusqu'à la falaise et la pousser dans le vide. Vous espériez que l'affaire serait facilement réglée : tout le monde se satisferait de l'explication selon laquelle la jeune femme serait retournée sur les lieux où elle avait passé une partie de son enfance pour s'y donner la mort, comme sa sœur et sa mère avant elle.

Tómas s'adossa à son siège pour attendre la réponse.

– C'est n'importe quoi, du début jusqu'à la fin, rétorqua Arnór, toujours aussi nerveux. Je vous ai dit la vérité. Ásta allait parfaitement bien quand je l'ai quittée, et je ne l'ai jamais revue après.

– Et Thóra ? La dernière fois que vous l'avez vue, c'était quand ?

– La nuit où elle est morte, évidemment. Vous n'allez pas me coller ça sur le dos ! Elle est morte dans son sommeil. Elle était très malade.

– C'est ce que vous croyez. On vous garde jusqu'à demain. On va voir avec le juge si on peut vous mettre sous les verrous quelques jours avant de reprendre l'enquête.

Arnór eut l'air abasourdi.

– Je suis innocent ! Vous n'allez pas me boucler parce que j'ai trompé ma femme ?

Tómas se mit debout.

– Vous n'allez quand même pas me garder pour la nuit ? protesta Arnór. Pas le soir de Noël !

Il y avait quelque chose d'enfantin dans sa plainte désespérée.

– Je suis désolé, mais c'est comme ça, dit Tómas. Est-ce qu'il vous reste des choses à nous raconter ? Des choses qui pourraient nous aider à trouver le coupable si, comme vous le dites, vous êtes innocent ?

Arnór prit le temps de réfléchir.

– Peut-être. On m'a fait jurer de garder le secret, donc je ne l'ai dit à personne. À mon avis, ça n'a aucun rapport avec l'enquête, mais il vaut mieux que je vous en parle.

– C'est parti, on vous écoute, dit Tómas en se rasseyant.

– Je tiens ça de mon père – c'est lui qui m'avait demandé de garder le secret, soupira Arnór avant de prendre la dernière gorgée d'eau. Je vous ai déjà dit à quel point mon père et Thóra étaient… intimes, si je puis dire, et elle se confiait à lui. À un moment, elle a parlé de la mort de Sæunn avec Kári, le père d'Ásta. Sæunn souffrait de dépression depuis longtemps. C'est pour cette raison entre autres qu'ils avaient décidé de déménager à la campagne – ils voulaient changer d'environnement. Mais une fois là-bas, la situation a empiré, et elle est sortie une nuit pour se jeter du haut de la falaise. Kári l'a suivie, l'a rattrapée au bord du précipice et l'a agrippée par le bras. Il a essayé de la tirer en arrière, mais elle était trop forte pour lui. Elle s'est jetée dans le vide et elle en est morte.

– Donc la mort de Sæunn serait bien un suicide ? demanda Ari Thór.

– D'après le récit de Kári, oui. Mais mon père a précisé que Thóra elle-même n'était pas sûre de croire à cette version des faits. Elle se demandait si Kári n'avait pas... brodé... sur son propre rôle. À mon avis, on ne saura jamais vraiment ce qui s'est passé. Mais je pense que Thóra a dit la vérité à mon père. Elle n'avait aucune raison de lui mentir.

– Ça ne suffira pas à vous sortir d'affaire, dit Tómas au bout d'un moment. Mais c'est une bonne chose que vous vous soyez enfin confié. Il est important pour nous d'avoir une vision d'ensemble, même si notre enquête ne porte pas sur ces décès-là.

Arnór s'abstint de répondre. Tómas mit un terme à l'entretien.

– On va vous emmener à Akureyri ce soir, et on verra demain comment ça se présente.

8

– Nos collègues du Sud ont envoyé cette liste par mail, dit l'inspecteur du commissariat de Blönduós en tendant à Tómas un document imprimé. Les jeunes qui ont séjourné à Kálfshamarsvík.

– Ah, dit Tómas en jetant un coup d'œil rapide sur la liste avant de la tendre à Ari Thór. Je ne pensais pas qu'ils nous la transmettraient aujourd'hui. Pas sûr qu'elle nous soit d'une grande utilité, maintenant qu'on tient le gars. Tu en penses quoi ? demanda-t-il à Ari Thór.

Ari Thór songea un moment à acquiescer, mais il ne partageait pas cet avis. Certes, il n'aimait pas contredire son supérieur devant l'inspecteur – un officier de police qu'ils ne connaissaient ni l'un ni l'autre – mais il décida de passer outre. L'enjeu était trop important.

– Je le crois innocent.

– Innocent ? répéta Tómas, surpris. Il n'a pas arrêté de nous mentir. Il a attendu qu'on ait de solides preuves pour nous dire la vérité. Et je suis sûr qu'il continue à nous mentir sur des éléments qu'on n'a pas encore prouvés – le fait qu'il se soit rendu au phare, par exemple.

– Donc tu veux le garder en détention la nuit de Noël ?

Pris de compassion pour le pauvre homme, il se félicitait que la décision vînt de Tómas.

– Absolument. On va gagner du galon avec ça – une arrestation dès le deuxième jour de l'enquête. Et, vu les circonstances, personne ne va nous taper sur les doigts parce qu'on l'a bouclé. En fait, poursuivit Tómas d'un ton plus solennel, il serait complètement irresponsable de procéder autrement. Je vais parler au procureur d'Akureyri : je voudrais voir si on a assez de preuves pour prolonger sa détention. Ensuite, je pensais qu'on pourrait rentrer chez nous et revenir demain. On laisserait le gars passer la nuit en prison. Peut-être que ça l'encouragerait à cracher le morceau.

L'attitude de Tómas laissa Ari Thór stupéfait. Il n'avait plus rien de l'enquêteur prudent et mesuré avec qui Ari Thór avait travaillé jusque-là. Pourquoi avait-il soudain besoin de faire ses preuves ? Pensait-il que l'arrestation d'Arnór suffirait à démontrer qu'il avait donné le maximum ? Ou peut-être ne pouvait-il pas se résoudre à décevoir sa femme en la laissant toute seule le soir de Noël ? Il n'avait pas ménagé ses efforts pour sauver son mariage – il avait été jusqu'à démissionner de son poste d'inspecteur de police à Siglufjördur, vendre sa propriété et déménager à Reykjavík.

Ari Thór préféra garder ses pensées pour lui.

– Pas de problème pour moi, dit-il. Tu veux que je creuse du côté de Sara ?

– Quoi ? Non, sauf si tu y tiens vraiment. On va essayer de faire avouer à Arnór le meurtre d'Ásta.

Je commence à penser que Thóra est morte de mort naturelle.

L'inspecteur de Blönduós avait presque l'air gêné de se tenir parmi eux sans prendre part à la conversation.

– Malgré la tache de vin ? demanda sèchement Ari Thór.

– De vin ? Oui, malgré ça. Bon, j'ai besoin que tu fasses deux choses : parler à la femme d'Arnór, et fouiller dans les affaires de Thóra. Après, je pense qu'on pourra y aller.

Tómas se tourna vers l'inspecteur.

– Pourriez-vous prêter un véhicule à mon collègue ? J'utilise le mien pour regagner le Sud.

Assis dans sa voiture, Ari Thór consulta la liste des jeunes gens qui avaient séjourné au cap. Ils étaient trente-trois, dont une seule Sara : Sara Margrét Thrastardóttir. Sauf qu'il y en avait une deuxième en bas de liste, une « presque » Sara, en tout cas : Elín Sara Stefánsdóttir. Cela ne devrait pas lui prendre trop de temps de s'entretenir avec les deux.

Tómas était dur à la tâche, perspicace et il avait le chic pour faire avancer les choses – mais, aux yeux d'Ari Thór, il cédait parfois à la facilité, il avait tendance à privilégier la solution la plus rapide.

Ari Thór regagna le commissariat et entra les noms dans le registre national, puis dans l'annuaire. Il ne tarda pas à trouver les deux femmes. Leurs noms correspondaient exactement à ceux de la liste, et n'avaient pas d'homonymes. L'une était née en 1979, l'autre en 1980, ce qui correspondait parfaitement : ces dates de naissance leur permettaient d'avoir passé un été à Kálfshamarsvík vers 1990.

Il retourna à la voiture et prit la direction de la ferme. Il tenait à revoir Thórhalla. En route, il composa le numéro de Sara Margrét. Elle décrocha à la quatrième sonnerie et répondit d'une voix chaleureuse et étonnée, comme si elle se demandait qui pouvait bien l'appeler la veille de Noël.

– Allô ? Vous êtes bien Sara ? Sara Margrét Thrastardóttir ?

C'était une curieuse façon de commencer l'entretien, mais il lui fallait être sûr de s'adresser à la bonne personne.

– Oui, répondit-elle d'un ton quelque peu hésitant.

– Désolé de vous déranger. Je suis Ari Thór Arason, de la police, dit-il.

Inutile de préciser qu'il était basé à Siglufjördur : ça ne ferait que compliquer les choses, songea-t-il.

– De la police ? répéta-t-elle d'une voix légèrement inquiète.

– Rien de grave, s'empressa-t-il d'ajouter, même si ce n'était pas tout à fait vrai. Je voudrais vous poser quelques questions en rapport avec une enquête que nous menons ici, dans le Nord.

– Une enquête dans le Nord ? répondit Sara Margrét, abasourdie.

– Oui. Suite à un décès survenu à Kálfshamarsvík.

Pas de réponse.

– Au nord de Skagaströnd et Blönduós, ajouta-t-il en guise d'explication.

– Je ne comprends pas. Quel rapport avec moi ?

– Apparemment, vous y avez séjourné dans votre enfance. À quelle période exactement ? Vous vous rappelez ?

– À la campagne ? À Kálfs… comment vous dites ?

– Kálfshamarsvík.

– Je n'y ai jamais mis les pieds, affirma-t-elle. Petite, je n'ai jamais passé de temps à la campagne.

– Vous êtes sûre ?

– Absolument.

– Votre nom figure sur une liste d'enfants qui y ont séjourné. Chaque enfant a bénéficié d'une bourse. Peut-être que vous n'y avez passé que quelques jours ?

– C'est quoi ces conneries ? Mon nom figure sur une liste ? fit-t-elle, franchement en colère. Je n'ai jamais entendu parler de cet endroit et on ne m'a jamais envoyée séjourner à la campagne, même pour quelques jours.

Sa réponse laissa Ari Thór perplexe.

– Et si c'était une autre personne du même nom ? suggéra-t-il.

– À ma connaissance, je suis la seule à porter ce nom en Islande.

– Dans ce cas, je suis désolé de vous avoir dérangée et vous souhaite un joyeux Noël.

– Pardon ? Ah oui, bien sûr. À vous aussi.

Elle raccrocha.

Incompréhensible, pensa-t-il. On lui aurait donné une liste erronée ?

Quand Elín Sara décrocha, elle sembla aussi étonnée que l'autre Sara de recevoir un appel de la police la veille de Noël.

– Nous menons l'enquête suite à un décès survenu à Kálfshamarsvík, dans le Nord, expliqua Ari Thór.

– Vous parlez de cette femme qui s'est jetée du haut de la falaise ? demanda-t-elle aussitôt.

Ari Thór en fut surpris : il ne pensait pas que l'affaire avait été ébruitée. La seule information qu'ils avaient diffusée, c'est que le corps d'une femme de Reykjavík avait été retrouvé au milieu des rochers à Kálfshamarsvík. Les médias avaient conclu à un suicide, et dans ce cas ils ne s'étendent guère sur le sujet. Mais le vent allait probablement tourner, une fois qu'on annoncerait la mort de Thóra et l'arrestation d'Arnór.

– Exact. Une jeune femme a perdu la vie il y a quelques jours.

Elín Sara garda le silence.

– Est-ce que par hasard vous auriez passé du temps à Kálfshamarsvík dans votre jeunesse ? demanda Ari Thór, qui s'attendait à un « non » ; sa confiance dans la liste s'était émoussée.

Au moins son interlocutrice semblait-elle connaître l'endroit de nom.

Elle resta un moment sans parler avant de laisser tomber un « oui ».

– En quelle année ? Vous vous rappelez ?

– En 1988. J'avais neuf ans.

– D'accord, merci. J'aurais juste deux ou trois questions à vous poser, Elín... On vous appelle Sara, peut-être ?

– Oui, Sara, répondit-elle.

Ça doit être la fille dont parlait Thóra, pensa-t-il.

– Vous vous souvenez d'une Thóra Óskardóttir ?

– Oui, dit-elle d'une voix calme. Pourquoi ?

– La pauvre femme est morte la nuit dernière.

– Et donc ? Quel rapport avec moi ? répondit-elle d'un ton étonnamment froid.

Elle n'avait pas l'air énervée ni en colère, juste distante et indifférente.

– Elle a parlé de vous hier soir.

– De *moi* ? répéta-t-elle, étonnée.

– Oui, confirma-t-il.

Il espérait qu'Elín Sara en dirait plus.

– Elle a dit quoi ? finit-elle par demander.

– Elle a dit qu'elle pensait à vous. D'après ce que j'ai compris, elle avait beaucoup pensé à vous dernièrement.

– Beaucoup pensé à moi ? répéta-t-elle à voix basse. Elle a dit autre chose ?

– Pas que je sache. Vous savez pourquoi elle a pu dire ça ?

Il y eut un long silence.

– Non, je ne vois pas.

Mais sa voix manquait d'assurance.

– Il y avait qui avec vous, cet été-là ?

À nouveau, elle hésita avant de répondre.

– Eh bien, il y avait Thóra, évidemment. Son frère, et Reynir aussi. Est-ce qu'ils habitent toujours là-bas ?

– Oui, confirma Ari Thór. Óskar et Reynir. Est-ce qu'il y a eu d'autres visiteurs réguliers au cap ? Des voisins, peut-être ?

– En effet, un garçon est venu à plusieurs reprises, mais je ne me rappelle pas son nom.

– Arnór ?

– Arnór ? Possible. C'est surtout son père qui passait régulièrement.

– Vous étiez proches, vous et Thóra ? Vous vous entendiez bien ?

– Non, du tout, répondit sèchement Elín Sara.

– Et vous êtes restées en contact après l'été ? Vous vous êtes revues récemment ?

– Non, je ne lui ai plus jamais parlé. Après cet été-là, je veux dire.

– Est-ce qu'il est arrivé quelque chose de particulier ? Quelque chose qui aurait obsédé Thóra toutes ces années ?

– Non, dit-elle.

Elle parlait à nouveau d'un ton cassant.

Ari Thór se tut. Il s'apprêtait à mettre fin à la conversation – il ne voyait rien d'autre à ajouter – quand Elín Sara posa une question à son tour.

– Cette femme, est-ce qu'elle a sauté dans le vide ?

– Elle s'appelait Ásta, répondit Ari Thór. Elle avait à peu près votre âge. Nous sommes en train d'enquêter sur ce qui s'est passé.

– Est-ce que vous savez pourquoi elle a fait ça ? demanda Elín Sara. Pourquoi elle s'est donné la mort ?

– Comme je vous l'ai dit, une enquête est en cours. À ce jour, on ne sait pas ce qui s'est passé, reprit-il d'un ton formel, surpris par son regain d'intérêt. Mais s'il vous revient quelque chose, pensez bien à nous rappeler, d'accord ?

Il lui donna son numéro de téléphone et elle marmonna quelques mots qu'Ari Thór prit pour un « oui ».

Après avoir raccroché, il appela l'inspecteur du commissariat de Blönduós pour lui demander de trouver les numéros de téléphone des autres noms sur la liste. Il choisit les noms les plus atypiques – ceux qui avaient les plus grandes chances de mener à la bonne personne. À la fin de la conversation, il avait sous les yeux huit numéros de téléphone plutôt prometteurs.

Le temps qu'il gagne la ferme où vivaient Arnór et Thórhalla, il avait passé tous les appels et réussi à joindre cinq personnes. À chacune, il se présenta et dit qu'il voulait juste savoir s'ils avaient séjourné à Kálfshamarsvík. Deux d'entre eux s'en souvenaient, dont l'un avait fait un séjour le même été que Sara, mais ne se rappelait aucun événement particulier.

– Il faisait tellement froid, alors que c'était l'été…

C'était apparemment son seul souvenir.

Les trois autres personnes refusèrent de confirmer qu'elles avaient séjourné à Kálfshamarsvík ; elles dirent qu'elles n'avaient jamais entendu parler de cet endroit.

Il avait du mal à croire qu'elles puissent toutes les trois mentir à un officier de police qui posait une question plutôt simple. Bien sûr, il se pouvait aussi qu'il ait contacté les mauvaises personnes. Mais si les noms étaient les bons, et qu'aucun d'eux ne mentait, comment avaient-ils atterri sur la liste ?

9

Dans la ferme, il faisait chaud comme il faut. En plus de la guirlande lumineuse sur le sapin, une vieille lampe assez ordinaire baignait le salon d'un éclairage agréable. Pourtant, maintenant que la célébration de Noël avait été repoussée, pas la moindre odeur de cuisine, pas de jambon dans le four ou d'agneau fumé qui mijote sur la cuisinière. Apparemment, Thórhalla s'attendait à la visite d'Ari Thór, ou en tout cas de la police. Elle le reçut aimablement et l'invita à s'asseoir sur le canapé. Ce qui frappa le plus Ari Thór, c'est l'absence de livres dans le salon. Il y avait quelques photos et des toiles de paysages accrochées au mur, des petits bibelots et autres objets de décoration disposés sur des étagères, mais pas un seul livre. Un vieil électrophone apportait un peu de chaleur à la pièce en laissant supposer qu'on pouvait au moins y diffuser de la musique – sauf qu'il ne voyait aucun disque à l'horizon.

– J'ai du chocolat chaud, si vous voulez, dit-elle.

Elle ne semblait pas lui en vouloir le moins du monde d'avoir coffré son mari la veille de Noël, les menottes aux poignets ou presque.

Ari Thór en accepta une tasse, qui le déçut un peu ; c'était bien du chocolat, mais il n'avait plus rien de chaud. L'intensité de son arôme lui rappela néanmoins les Noëls qu'il passait jadis avec ses parents. Il lui revint des souvenirs qu'il aurait préféré ne pas se remémorer en cet instant.

– Il n'est pas coupable, lança-t-elle de but en blanc. Ce n'est pas lui qui a tué cette femme.

– Qu'est-ce qui vous permet de l'affirmer ? demanda Ari Thór d'une voix posée.

– Je connais Arnór, il ne pourrait jamais. Est-ce qu'il sera là ce soir ?

– Hélas ! J'ai bien peur que non.

Elle hocha la tête, comme si elle s'y attendait.

– Ils ont couché ensemble, c'est ça ?

Ari Thór évita de répondre – avec un peu de chance, Thórhalla continuerait sur sa lancée.

– Je sais qu'il a filé en douce cette nuit-là. Il croit que je dors, mais je sais toujours ce qu'il fabrique. Et je sais très bien ce qu'il fricote. Quand il revient se coucher, je sens sur lui l'odeur de ses maîtresses. Je ne dors pas, je fais juste semblant.

Sa sincérité prit Ari Thór au dépourvu.

– Vous saviez qu'il était parti rejoindre Ásta ?

Il décida de ne pas lui faire remarquer qu'elle leur avait menti.

– Non. Arnór ne m'avait même pas dit qu'elle séjournait au cap. Je comprends maintenant pourquoi…

– Et vous acceptez tout ça ? demanda Ari Thór, qui trouva aussitôt sa question déplacée et sans lien avec l'enquête.

– Parfois j'en ai assez, et…

Elle avait répondu spontanément, d'une voix amère. Mais elle s'arrêta au milieu de sa phrase.

– Ça ne vous regarde pas, ce que je tolère ou pas, asséna-t-elle avant de reprendre sur un ton plus doux : il a toujours été comme ça. Il n'a jamais su résister aux jolies filles. Comme, en plus, nous n'avons pas d'enfants... Pas question de divorcer pour autant. Selon moi, on sait tous les deux qu'il n'y a pas d'amour entre nous et qu'il n'y en a sans doute jamais eu. Mais on est bons amis, et on travaille bien ensemble. Je n'ai pas à me plaindre.

– Vous vous rappelez à quelle heure il est sorti cette nuit-là ? Et quand il est rentré ?

– Si je me souviens bien, il a quitté la maison vers vingt-trois heures, et il est revenu environ une heure après. Je me suis dit qu'il avait pris moins de temps que d'habitude. La plupart de ses maîtresses vivent à Blönduós ou à Skagaströnd, voire plus loin. Je me suis même demandé s'il n'avait pas une vraie obligation, pour une fois. Mais ce n'était pas le cas, comme nous le savons tous les deux, dit-elle avec un sourire forcé.

Est-ce qu'elle cherchait à protéger son mari ? Est-ce qu'elle mentait de bout en bout ? Est-ce qu'elle interprétait une pièce de théâtre répétée de longue date, dont elle était la seule comédienne et lui, le seul public ? En tout cas, elle n'avait pas ménagé ses efforts pour convaincre Ari Thór qu'elle n'aimait pas son mari, qu'il l'avait trompée maintes et maintes fois, et qu'elle n'avait aucune raison de mentir pour lui. De plus, elle s'était évertuée à lui fournir un alibi, même s'il n'était pas très solide quoi qu'elle en dise. Il se pouvait très bien qu'Arnór ait gagné le cap en voiture, eu une relation sexuelle avec Ásta dans le grenier avant de l'emmener au phare, où il l'avait tuée, puis jeté son corps du haut de la falaise et regagné son domicile, le tout en une heure de temps. Ari Thór devait cependant reconnaître que ç'aurait été un tour de force de sa part.

– Malgré tout, c'est un brave homme, ajouta-t-elle. Et certainement pas un meurtrier.

Arrivé à Kálfshamarsvík, Ari Thór consulta sa montre. Il craignait de consacrer trop de temps à l'enquête, alors que Kristín l'attendait. Il avait l'intention d'inspecter la chambre de Thóra, ce qui ne lui prendrait pas longtemps, puis d'obtenir d'Óskar et Reynir des réponses aux quelques questions qu'il lui restait à poser. Convaincu de l'innocence d'Arnór, il culpabilisait de le laisser passer la nuit de Noël en prison.

Au sous-sol, il tomba sur un officier de la police locale – celui qui avait passé la nuit à surveiller le phare.

– On m'a demandé de veiller à ce que personne ne descende, dit-il d'une voix morne. Vous aurez besoin de moi encore longtemps ?

Apparemment, il aurait tout donné pour être ailleurs, surtout le soir de Noël.

– Non, ça ira, merci, dit Ari Thór. Je vais prendre le relais.

On frappa à la porte. Ari Thór se retourna : Reynir se tenait sur le seuil.

– Ça avance ? demanda-t-il d'un ton enjoué en entrant dans la pièce.

Autant dire la vérité.

– On a procédé à l'arrestation d'Arnór. Il faut qu'on ait avec lui un entretien plus poussé.

– Ça ne m'étonne pas. Je me doutais bien que c'était lui, l'amant d'Ásta. Mais je ne savais pas qu'il avait des accès de violence. C'est difficile de s'en rendre compte...

– Pour le moment, rien ne prouve qu'Ásta a été tuée, précisa Ari Thór. Ni qu'Arnór est responsable de sa mort.

– Mais vous dites l'avoir arrêté, non ?

Ari Thór brûlait de répondre que la décision ne venait pas de lui. Il préféra changer de sujet.

– La nuit de sa mort, vous avez parlé avec Ásta après le dîner, dit-il. Exact ?

Reynir hésita un court instant avant de répondre.

– Oui, absolument. Je vous l'ai déjà dit.

– Vous vous rappelez quelle heure il était ?

– Non, dit-il d'une voix où perçait l'irritation. On a déjà parlé de tout ça, non ?

– Avant ou après minuit ?

– Avant. J'en suis quasiment sûr.

Du coup, le témoignage de Reynir concordait avec ceux d'Arnór et de Thórhalla. D'un autre côté, s'il mentait pour arranger ses affaires, sa déclaration restait assez imprécise pour ne pas le trahir. Est-ce qu'Ásta était descendue après le dîner pour discuter avec Reynir avant de remonter au grenier, où Arnór lui avait rendu visite ? C'était une possibilité. Puis elle se serait rendue au phare, où on l'avait agressée. Quelqu'un l'avait-il accompagnée ? Ou attendue là-bas ?

– Comment va Óskar ? demanda Ari Thór.

– Pas trop mal. Il est là-haut, le pauvre vieux. La mort de Thóra a été un gros choc pour lui, même s'il savait, comme nous tous, qu'il ne lui restait plus longtemps à vivre. Est-ce que vous essayez de mettre la mort de Thóra sur le dos d'Arnór ? ajouta-t-il en choisissant ses mots. Pour moi, c'est sa maladie qui l'a tuée...

– Nous envisageons toutes les hypothèses. Je ne vais pas tarder à monter. J'ai besoin de parler à Óskar avant de prendre la route.

Reynir comprit que sa présence au sous-sol n'était plus requise. Il hocha la tête.

– Vous me trouverez dans le bureau, si vous avez besoin, dit-il avant de s'esquiver.

Ari Thór pénétra dans la chambre de Thóra. Immédiatement, la tache de vin sur le tapis attira son regard. Ils étaient loin d'en avoir fini, et il y avait de fortes chances que Tómas se soit trompé de coupable. Hormis le malheureux hasard qui l'avait conduit à passer la nuit dans la maison, rien ne liait Arnór à la mort de Thóra.

Ari Thór songea que si Thóra avait bien été tuée, le vin avait peut-être éclaboussé le tueur. Ça semblait peu probable, parce que la table de nuit se trouvait de l'autre côté du lit, loin de la porte d'entrée. Or le meurtrier était sans doute passé par le plus court chemin pour accéder au lit...

La chambre, éclairée par une seule fenêtre haute, était meublée de manière spartiate. Il n'y avait rien sur la table de nuit. En ouvrant le tiroir, Ari Thór ne trouva que des antalgiques. Sur le lit, quatre cartes de vœux, qu'Ari Thór lut l'une après l'autre. Il avait bien conscience de fureter dans des affaires personnelles, mais il pouvait difficilement faire autrement. De plus, il était peu probable que ces cartes de vœux recèlent des informations confidentielles. Les noms des correspondants ne lui disaient rien, et les messages, impersonnels, ne dépassaient pas quelques lignes. Joyeux Noël, meilleurs vœux, etc. C'est plutôt le nombre de cartes qui retint l'attention d'Ari Thór. Une femme de son âge aurait dû se faire plus d'amis au cours de sa vie, et recevoir davantage de cartes de Noël, non ? Cela dit, à entendre son frère et Reynir, elle était perturbée, ce qui ne faisait pas d'elle la personne la plus sociable au monde et l'empêchait peut-être d'entretenir des relations d'amitié.

Contre le mur se trouvait une petite armoire de bois, dont l'une des portes était ouverte et l'autre fermée par une clé laissée dans la serrure – une manière courtoise, sans doute, de faire comprendre aux résidents qu'ils n'avaient pas à fouiller dans ses affaires personnelles.

La partie ouverte du placard contenait de vieux livres de poche – rien d'autre que des romans en islandais. Sur l'étagère inférieure se trouvaient deux paquets cadeaux emballés de rouge vif qui ressemblaient à des livres, l'un au nom de Reynir, l'autre au nom d'Óskar.

Ari Thór tourna la clé pour ouvrir l'autre porte. Il ne trouva là qu'une enveloppe marron à moitié déchirée, laquelle contenait une quinzaine de cartes de Noël, deux lettres manuscrites et de vieilles coupures de presse. Aucune des cartes de vœux n'était signée, mais elles semblaient toutes provenir du même correspondant. Les textes, courts, étaient rédigés sur un ton personnel, voire intime. Les deux lettres étaient paraphées, elles, de la même écriture que celle des cartes. Elles portaient la signature d'Heidar, le père d'Arnór. Ari Thór balaya des yeux le contenu des lettres ; l'une datait de 1985, l'autre de cinq ans auparavant. C'étaient des lettres d'amour à l'ancienne, d'un romantisme galant. Elles avaient toutes les deux été postées à Reykjavík. Heidar avait sans doute profité d'un voyage dans la capitale pour lui écrire.

Les coupures de presse conservées par Thóra étaient les avis de décès de deux hommes, dont Heidar, mort en 2000 à l'âge de soixante-quatre ans. Thórhalla avait écrit une courte nécrologie de son beau-père. À première vue, le ton paraissait affectueux, mais il en émanait à la relecture une certaine distance mâtinée de froideur. Collègues de travail et camarades d'école avaient également apporté leur contribution, et Áki Reynisson, le père de Reynir, disait adieu en quelques mots à celui qu'il appelait un « chic type », un « ami fiable, bon mari et bon père » ainsi qu'« invité régulier dans notre maison de campagne ». Thóra n'avait rien écrit sur son amoureux.

L'autre homme, né en 1901, était mort en 1989 à un âge avancé. Son nom – Sölvi Árnason – ne disait rien à Ari Thór, qui ne fit pas tout de suite le rapprochement avec Thóra. Il commença à rassembler les morceaux du puzzle en lisant qu'il avait été médecin généraliste jusqu'à la fin des années 1960. Ari Thór parcourut les éloges : « un homme très professionnel et de caractère agréable » qui s'était donné pour mission d'« améliorer la vie des autres ». Il s'était éteint « à un grand âge, au terme d'une carrière irréprochable ».

Aucune mention de ses lacunes – c'est sans doute la raison qui avait poussé Thóra à garder l'article. Nulle part on ne disait qu'il avait été accusé de prescrire des amphétamines à des jeunes gens, alors qu'il aurait dû connaître le risque de dépendance. La photo en illustration collait parfaitement à l'image d'un médecin fiable, « très professionnel et de caractère agréable » : elle montrait un vieux monsieur à l'air aimable, cheveux poivre et sel, petites lunettes, le regard amical. Son fils unique, Sölvi Sölvason, était né en 1934 : à supposer qu'il soit toujours en vie, il avait donc près de quatre-vingts ans.

Reynir occupait à nouveau le siège du maître de maison : le fauteuil en cuir de son bureau. Sans dire un mot, Ari Thór lui tendit le paquet-cadeau rouge vif.

– Un cadeau de Noël ? s'étonna Reynir. C'est très aimable à vous, ajouta-t-il avec un petit rire.

Ari Thór resta immobile. Il attendait que Reynir lise l'étiquette.

– De la part de Thóra ? dit-il, surpris. Pour moi ?

– Vous ne vous y attendiez pas ?

– Pas du tout.

Il paraissait sincère.

– Vous lui avez acheté quelque chose ?

– Non. Rien. Je ne lui ai jamais rien offert.

Ari Thór patienta en silence.

– Je suis censé l'ouvrir ?

– C'est bien pour ça que je vous l'ai donné. Je veux savoir ce que c'est.

– Très bien.

Reynir déchira le papier pour déballer un livre, comme Ari Thór s'y attendait.

– Ah, je l'ai déjà lu, dit Reynir. C'est plutôt pas mal.

– De quoi s'agit-il ?

– C'est l'autobiographie d'une de mes connaissances. L'auteur retrace sa carrière professionnelle, ou plutôt, il raconte à quel point il est génial. Il est loin d'avoir accompli tout ça, mais il s'est adjoint les services d'une bonne agence de communication. Je n'aurais pas écrit la même histoire…

Il déposa le livre au bout de son bureau.

– Vous avez dit qu'Óskar était là ? J'aimerais bien lui parler.

– Vous le trouverez dans la cuisine.

– Qu'est-ce que vous allez faire de lui ? demanda Ari Thór sur un ton léger. Vous le gardez ?

Reynir jeta un coup d'œil vers la porte. Il se leva pour la fermer.

– Je n'ai pas le courage de le renvoyer, dit calmement Reynir, mais j'ai peur qu'il ait bientôt besoin de soins. Je vais lui demander de reprendre une partie du travail qu'accomplissait sa sœur, au même salaire, évidemment – mais à part ça, il ne va pas m'être d'une grande utilité. Ces dernières années, je l'ai surtout gardé par charité.

– J'espère qu'il s'en sortira, dit Ari Thór, la main sur la poignée de la porte. Merci du temps que vous m'avez accordé.

– Vous voulez emporter le livre ? demanda Reynir. Ce n'est pas une pièce à conviction, si ?

Comme le livre était toujours sous cellophane, Thóra n'avait pas pu y ajouter une dédicace personnalisée. Il ne présentait aucune utilité pour l'enquête.

– Non, ça ne servirait à rien, dit Ari Thór.

Il était néanmoins reconnaissant à Reynir d'avoir proposé. Peut-être était-il attaché à la vieille dame, finalement, au point de vouloir garder le dernier souvenir qu'elle lui destinait.

Óskar contemplait fixement la tasse de café posée sur la table de la cuisine.

– Bonjour, dit gentiment Ari Thór.

Óskar sursauta avant de lever les yeux.

– Oh, bonjour, répondit-il en sortant de sa torpeur.

Il posa les yeux sur le paquet qu'Ari Thór tenait entre ses mains et percuta aussitôt.

– Je me demandais où le cadeau… commença-t-il.

Sa voix se brisa, et il respira profondément avant de continuer.

– Je me demandais où le cadeau de Thóra était passé. Elle m'offrait toujours quelque chose à Noël, et je lui achetais aussi un cadeau. C'est mon livre, j'imagine ?

Ari Thór acquiesça.

– J'ai reconnu le papier cadeau. Ça fait des années qu'on l'utilise. Un rouleau dure longtemps quand on a peu d'amis, dit-il en esquissant un sourire. Je lui ai acheté un livre, moi aussi. Un roman qui, selon le type du Co-op, se vend comme des petits pains. Le soir de Noël, elle se posait toujours avec un livre qu'elle lisait jusque tard dans la nuit. Elle a toujours fait ça. Elle savourait un moment de paix. Elle en a bavé dans la vie, alors ça me réjouissait de la voir si heureuse à Noël. Ce soir-là, tout allait pour le mieux dans le meilleur des mondes, même si ça ne durait qu'une nuit.

Ari Thór lui tendit le paquet. Óskar le posa sur la table et le remercia, même s'il n'avait rien fait pour mériter sa gratitude.

Ils restèrent assis en silence pendant un moment.

– Je vais vous demander de l'ouvrir tout de suite, dit Ari Thór, embarrassé.

– Maintenant ? répéta Óskar, l'air horrifié. Vous ne m'en voudrez pas si je le garde pour plus tard, si ?

L'espace d'un instant, Ari Thór songea qu'il en avait assez fait. Mais il ne pouvait pas abandonner. Il fallait donner priorité à l'enquête. Si jamais le paquet contenait quelque chose d'important, il ne se le pardonnerait jamais.

– Malheureusement, ce n'est pas possible, dit-il.

Óskar capitula.

– Bon. Ça doit être une biographie.

Manipulant le paquet avec soin, il ouvrit délicatement le papier cadeau.

– C'est bien ça. J'en ai entendu parler et ça m'a donné envie de la lire.

Óskar resta un moment assis sans rien dire. Il enleva la cellophane et feuilleta le livre. Ari Thór vit ses yeux se remplir de larmes. Le vieil homme se détourna de lui pour les essuyer.

Ari Thór s'en voulait d'avoir forcé Óskar à ouvrir son cadeau tout de suite. Gêné, il se contenta d'attendre, le temps qu'Óskar se reprenne.

– Je voulais aussi vous montrer ça, dit-il en posant sur la table de la cuisine l'avis de décès du Dr Sölvi Árnason.

Óskar jeta un coup d'œil à la photo.

– Le voilà, ce salopard, dit-il, méprisant. Il s'appelait Sölvi, en effet. J'avais oublié son nom, mais je me souviens de la photo. Thóra m'a montré sa nécro quand il est mort. Je me suis torturé la cervelle pour comprendre comment un homme ordinaire, à l'allure si impeccable, avait pu faire ça à une jeune fille. Je me doute qu'il ne pensait pas à mal, mais il ne connaissait pas son travail. Qu'est-ce que j'en sais, après tout ?

Il marqua une pause avant de poursuivre.

– Je peux vous dire que Thóra s'est réjouie de sa mort. Je me rappelle très bien sa réaction. Elle en a été surprise, gênée, même, mais c'était compréhensible. Cet homme avait détruit sa vie, pour ainsi dire. Imaginez, garder cette haine en soi pendant si longtemps...

Il fouilla dans sa poche, en sortit une paire de lunettes et parcourut le texte.

– Exact, 1989. Il y a plus de vingt ans. Il est mort à un âge avancé... presque quatre-vingt-dix ans, mais elle le haïssait toujours... dit-il en contemplant à nouveau la coupure jaunie.

Ari Thór ne savait pas quoi dire.

– Elle n'était pas du genre à pardonner, avança-t-il.

– C'est le moins qu'on puisse dire, confirma Óskar.

– Il avait un fils. Vous savez si Thóra l'a rencontré ?

– Ça m'étonnerait.

Puis son expression changea et il planta ses yeux dans ceux d'Ari Thór, comme s'il venait tout juste de comprendre la terrible hypothèse qu'ils envisageaient depuis le début.

– La mort de ma sœur – vous croyez qu'elle a été provoquée, d'une manière ou d'une autre ?

Ari Thór sentit qu'Óskar ne le supporterait pas. Surtout avec Arnór et Reynir comme principaux suspects : deux proches, dont le dernier subvenait à ses besoins.

– On ne sait pas encore, répondit Ari Thór en toute sincérité. Est-ce que Reynir vous a prévenu de l'arrestation d'Arnór ?

Vu son étonnement, Ari Thór comprit tout de suite que ce n'était pas le cas.

– À cause de Thóra ? demanda-t-il immédiatement.

– Non, pour l'instant, on s'intéresse à sa relation avec Ásta. Mais on n'écarte aucune piste. On attend de voir.

Óskar enfouit son visage entre ses mains, pencha la tête et soupira comme s'il portait le poids du monde sur ses épaules.

– Je peux faire quelque chose pour vous aider ? finit-il par murmurer.

– Dites-moi, répondit Ari Thór en s'asseyant à table, selon Reynir, votre sœur aurait parlé hier d'un petit jeu de cache-cache, d'une personne qui passait tout son temps enfermée. Vous savez à qui elle pensait ?

Óskar observa un long silence, comme s'il cherchait la bonne formulation.

– J'aurais dû vous en parler ce matin, finit-il par lâcher, les traits tirés.

Apparemment, cet aveu lui coûtait.

– Ça n'a aucun rapport avec l'enquête, c'est pourquoi je n'ai rien dit. Elle parlait de moi.

– Vraiment ?

– Si Thóra et moi avons pu vivre si longtemps ensemble sans histoires, c'est parce qu'on s'occupait chacun de nos affaires. On avait notre vie privée, et cette petite manie que j'ai développée n'a rien de bien grave, rien de honteux. C'est un intérêt, si on peut appeler ça comme ça, que je tenais à garder pour moi. Voyez-vous, j'étudie le krach financier survenu ici, en Islande, dit-il avec un regard narquois.

– Le krach ? fit Ari Thór, stupéfait. Comment ça ?

– Je passe un certain temps à lire les articles, à écouter les infos, à creuser plus profondément, à me faire ma propre idée sur les responsables de ce désastre – sur ceux qui ont parié l'argent d'autrui.

– Vous pensez que Reynir en fait partie ?

– Franchement, non. Selon moi, il gère son affaire de manière responsable.

– Dans ce cas, quel rapport avec le jeu de cache-cache dont parlait Thóra ? demanda Ari Thór, dont la patience commençait à s'émousser.

– J'écoute une émission à la radio, sur une station de Reykjavík. Les auditeurs appellent pour donner leur avis sur ce qui ne marche pas dans la société, donc ils parlent évidemment du krach. Dès que j'en ai l'occasion, j'écoute, et c'est pour ça que je m'enferme, parce que... parce que moi aussi je les appelle pour leur dire ce que je pense, avoua-t-il en baissant les yeux, l'air honteux. C'est bien mon droit, non ?

– Absolument.

– Je n'avais aucune envie d'entraîner les autres dans ce qui est devenu ma marotte, vous comprenez ? Parfois, c'est bien de garder des choses pour soi.

– Tout à fait d'accord.

Ari Thór avait conscience que le temps filait et qu'il lui faudrait bientôt partir.

– J'ai une dernière question...

– Oui ?

– Au sujet de Sara.

– Sara, oui, bien sûr, dit Óskar, les yeux écarquillés de curiosité.

– Si je me souviens bien, vous dites avoir accueilli des jeunes ici plusieurs années.

– Exact.

– Combien de fois ?

– Pas beaucoup. Trois ou quatre, je dirais.

– Ils étaient combien chaque année ? Dix ? Douze ?

– Je ne me rappelle pas, dit Óskar, qui semblait s'en moquer. À peu près, oui.

– Nous avons reçu cette liste du Ministère ce matin même, dit Ari Thór en sortant la feuille de papier de sa poche.

Il la déplia et la fit glisser sur la table jusqu'à Óskar.

– Il y a trente-trois noms, reprit-il. J'ai parlé à plusieurs d'entre eux. Ils m'ont dit qu'ils n'avaient jamais mis les pieds ici. Seuls quelques-uns ont confirmé leur séjour.

Óskar ne daigna pas consulter la liste. Il tourna la tête pour éviter le regard d'Ari Thór. Comme ses mains se mettaient à trembler, il serra les poings. Il portait son éternel col roulé bleu. Est-ce qu'il se mettrait sur son trente-et-un pour la messe de Noël ? se demanda Ari Thór.

– Je ne sais pas quoi dire, marmonna Óskar au bout d'un moment.

– J'ai tout mon temps, dit froidement Ari Thór.

Il savait qu'il n'aurait aucun problème à vaincre la résistance d'Óskar, surtout maintenant. Il le considérait comme un homme inoffensif qui ne tiendrait pas tête trop longtemps. Ari Thór se félicitait presque de voir à quel point ce serait facile, avant d'éprouver un soupçon de culpabilité qu'il choisit d'ignorer.

– Je ne peux pas… je ne peux pas en parler maintenant, dit Óskar d'une voix tremblante.

– Pourquoi ?

Il y eut un bref moment de silence.

– À cause de Thóra, murmura Óskar. Vous n'avez pas le droit de me demander ça. Pas maintenant, supplia-t-il.

– Vous comprenez bien que je ne peux pas mettre un frein à l'enquête sans avoir une bonne raison. Il faut qu'on tire tout ça au clair.

– Ça n'a rien à voir avec la mort de Thóra, et encore moins avec celle d'Ásta.

– C'est à moi d'en juger !

– Je ne peux pas en parler. Elle vient tout juste de nous quitter.

Ari Thór laissa le silence s'installer. Óskar n'arrivait plus à contrôler le tremblement de ses mains. Il parut sur le point de grommeler quelque chose mais se ravisa. Il finit par lancer au policier un regard hanté, rongé de désespoir. Sa dernière défense venait de tomber.

– Elle ne pensait pas à mal, ma sœur. Elle ne pensait jamais à mal. Le système l'avait laissée tomber, vous savez, et elle avait l'impression qu'on lui était redevable, murmura-t-il.

– Comment ça ?

– Financièrement. Je m'en suis rendu compte par hasard. Au début, elle a nié, mais ça ne servait à rien. Puis elle a cherché à se justifier. Elle a découvert dès le premier été à quel point c'était facile d'obtenir ces subventions – il suffisait d'envoyer une liste de noms et d'attendre le versement. L'année d'après, elle a ajouté quelques noms qu'elle a trouvés dans les pages « enfants » du journal. Si un gamin de neuf ans avait envoyé un texte au journal, elle prétendait qu'il avait effectué un séjour, et ils n'y voyaient que du feu. L'année d'après, elle est allée plus loin et elle en a rajouté d'autres. On a passé deux ou trois étés sans aucun enfant, même si des noms figurent sur le formulaire de demande de subvention.

Il se racla la gorge avant de poursuivre.

– Je ne m'en suis pas mêlé, je vous assure. L'idée venait de Thóra, c'est elle qui s'est occupée de tout et qui a empoché l'argent. Ici, on n'était pas si bien payés. Vous croyez que Thóra aurait reçu une indemnisation du gouvernement à cause de cette histoire de médecin ? Un médecin rémunéré par l'État, qui a ruiné ses chances de faire des études ? Rien du tout ! Pas un kopeck ! dit-il en haussant la voix.

– Donc elle a décidé de voler de l'argent au gouvernement ? demanda Ari Thór sans se départir de son calme.

– Voler ? Ce n'est pas le mot que j'emploierais. Bien sûr, elle savait ce qu'elle faisait, en réclamant de l'argent pour des enfants qui n'avaient jamais mis les pieds ici. Mais elle était dégourdie, ma sœur, et elle avait le sens de la justice.

Ari Thór sourit.

– Vous allez donner suite ? demanda Óskar

– Il y a probablement prescription, dit Ari Thór sans répondre à la question. Mais Sara, est-ce qu'elle a effectué un séjour pour de vrai ? Ou juste sur le papier ?

– Elle fait partie des vrais pensionnaires. Je ne vous ai pas menti à son sujet. Mais je ne sais pas pourquoi elle a continué d'obséder Thóra.

Ari Thór se leva. Il lui revint soudain en mémoire la question qu'il avait omis de poser la veille.

– Pendant que j'y pense…

Óskar leva les yeux.

– Reynir a raconté hier, juste après notre arrivée, qu'il n'avait pas d'ordinateur dans son bureau. Vous avez failli réagir, et je voulais vous demander pourquoi. Si j'ai bien compris, Reynir passe ses journées à travailler, puisque les marchés ne ferment jamais, donc je trouve curieux qu'il n'ait pas d'ordinateur.

– Eh bien… commença Óskar, qui prenait son temps. Je ne voulais pas contredire Reynir devant vous, mais ce n'est pas la vérité. Il ne se sépare jamais de son ordinateur portable.

– Jamais ?

– Ma foi, non. Jamais. Pas une seule seconde !

– Quand l'avez-vous vu pour la dernière fois ?

– Je ne saurais pas vous dire.

– Est-ce qu'il l'avait avant Noël ? Après la mort d'Ásta ?

– Oui, ça j'en suis sûr.

Ari Thór remercia Óskar et se rua vers le bureau de Reynir. Il frappa à la porte et entra dans la pièce sans attendre la réponse.

Reynir ne sembla pas s'offusquer de cette intrusion. Il sourit à Ari Thór.

– Vous avez oublié quelque chose ? lui demanda-t-il innocemment.

– Où se trouve votre ordinateur ? Le portable ?

Reynir, qui s'attendait sans doute à cette question, resta de marbre.

– On me l'a volé. Pas de chance, vraiment.

– Vous nous avez menti l'autre jour, non ? cria Ari Thór, soudain pris de colère.

– Menti ? répéta Reynir, imperturbable. Pas du tout. J'ai dit que je n'avais pas d'ordinateur, et c'est la vérité. Pourquoi je vous mentirais sur un sujet aussi dérisoire ?

– On vous l'a volé quand ? Et où ?

– À Blönduós ou Skagaströnd, le lendemain de la mort d'Ásta. Je l'avais laissé sur la banquette arrière de ma voiture. J'ai oublié de la fermer à clé, ce qui était vraiment stupide de ma part, dit-il dans un sourire. C'est en arrivant à la maison que je me suis rendu compte de sa disparition.

– J'imagine que vous avez immédiatement prévenu la police.

– Non, même pas. Je sais, c'est irresponsable. Mais je ne garde rien d'important dans mon portable lui-même. Je sauvegarde tout sur un *cloud*, donc je n'ai perdu aucune donnée confidentielle d'ordre professionnel, et, pour être honnête, ce n'est pas sa valeur marchande qui m'inquiète. Je m'en achèterai un nouveau à Reykjavík, après Noël.

– Si vous le retrouvez, faites-moi signe, dit Ari Thór avant de quitter brusquement la pièce.

10

Assis dans la voiture de police, Ari Thór contemplait la baie de Kálfshamarsvík. Il attendait que le commissaire de Blönduós, qu'il avait au bout du fil, cherche dans ses bases de données un numéro de téléphone pour Sölvi, le fils du médecin.

Ari Thór se demanda si Tómas n'avait pas tiré les bonnes conclusions, finalement – la mort de Thóra n'était que l'aboutissement naturel d'une longue maladie, et Arnór avait tué Ásta lors d'un rendez-vous galant qui avait salement dégénéré.

– J'ai trouvé, dit l'inspecteur. Sölvi Sölvason, né en 1934, vit à Hringbraut.

Il lui dicta le numéro.

Ari Thór tenta une nouvelle fois de se justifier à ses propres yeux en se disant qu'il avait raison de déranger des inconnus quelques heures avant les fêtes de Noël.

Sölvi ne tarda pas à décrocher. Après s'être présenté, Ari Thór alla droit au but.

– Je voudrais vous poser quelques questions sur votre père.

– Mon père ? Oui, bien sûr. Puis-je vous demander pourquoi ?

À sa voix, Ari Thór n'aurait jamais deviné qu'il avait près de quatre-vingts ans.

– Nous menons l'enquête suite à la mort d'une vieille dame dans le Nord. Elle s'appelait Thóra Óskardóttir, et elle comptait parmi les patients de votre père.

– Son nom ne me dit rien.

– Si j'ai bien compris, elle estimait avoir des comptes à régler avec votre père. Apparemment, il lui aurait prescrit des amphétamines alors qu'elle était étudiante, ce qui a eu des conséquences désastreuses.

– Ah… elle fait partie des victimes, c'est ça ? demanda Sölvi.

– Vous êtes au courant ?

– Oui, je sais que mon père a eu des problèmes à ce sujet il y a longtemps. Mais c'était une pratique courante, à l'époque. Et il était de la vieille école – une sorte de dinosaure, en somme. Il avait du mal à s'adapter aux nouvelles méthodes. Mais il ne songeait pas à mal. On peut difficilement reprocher à quelqu'un de ne pas se tenir au courant des avancées de la médecine, et de refuser d'évoluer, si ?

Apparemment, Sölvi n'attendait pas de réponse à sa question, ce qui arrangeait Ari Thór.

– Est-ce qu'ils se sont revus par la suite ? se contenta-t-il de demander.

– Non, je ne crois pas. Elle a essayé de lui extorquer de l'argent, mais Papa n'a pas cédé. Puis elle a tenté de lui faire un procès, si je me souviens bien, mais ça n'a pas abouti. Cela dit, il a connu des moments vraiment difficiles.

– Elle aussi… dit Ari Thór.

– Elle ? Ah, cette femme… sans doute.

– Merci de m'avoir répondu. Je vous souhaite un joyeux Noël.

Ari Thór raccrocha avant de composer le numéro de Tómas. Toujours sur la route de Reykjavík, son collègue lui expliqua qu'il avait parlé au procureur d'Akureyri – celui-ci avait consenti malgré lui à examiner le dossier afin de décider s'il y avait lieu de prolonger la détention d'Arnór.

– Il n'avait pas l'air ravi de devoir se mettre au travail immédiatement, dit Tómas.

Ari Thór lui raconta ce qu'il avait découvert : l'escroquerie de Thóra, l'ordinateur portable, les nécrologies du médecin. Il se sentait presque honteux de faire remarquer à Tómas qu'il restait pas mal de points à éclaircir dans cette affaire, comme s'il insinuait que Tómas avait agi à la va-vite en mettant Arnór derrière les barreaux.

Quand il eut fini de parler, un silence s'installa. Il sentit que Tómas ne se réjouissait pas franchement de ce qu'il entendait.

– Tu veux que je fasse demi-tour ? finit-il par proposer. D'accord, je te rejoins.

Mais le silence qui suivit montrait clairement qu'il n'en avait pas envie. Ari Thór décida, à contrecœur, de lui accorder cette faveur.

– Laisse, je m'en occupe, dit-il.

De toute façon, avec les fêtes de Noël, ils ne pourraient pas faire grand-chose.

Il avait retourné l'affaire dans tous les sens, et s'il restait des pistes à creuser, il lui faudrait retrousser ses manches. Mais il pouvait très bien s'y remettre après les fêtes.

À peine avait-il raccroché que son téléphone se mit à sonner. À tous les coups, c'était Kristín qui s'impatientait à Blönduós.

– Ari...

À entendre son souffle lourd et rapide, il comprit qu'il y avait un problème.

– Ari... répéta-t-elle, hors d'haleine. Je crois que le bébé est en train d'arriver... Le bébé...

11

C'était comme si les mots lui passaient au-dessus de la tête, comme s'il refusait d'y croire. Puis son cœur fit un bond, il démarra la voiture avant d'articuler quoi que ce soit et se lança à une allure folle sur le bitume parsemé de nids-de-poule qui tenait lieu de route.

– Tout va bien ? Tu es où ? J'arrive !

– J'ai déjà appelé une ambulance. Elle arrivera avant toi, dit-elle.

Il se rappela qu'avant toute chose, elle avait l'esprit pratique, et qu'elle n'était pas du genre à se laisser envahir par les émotions.

– Ils ne devraient pas tarder, reprit-elle. Je n'ai pas arrêté de t'appeler, mais tu étais tout le temps en ligne.

– Tu es où ? répéta-t-il. Tout va bien ?

– La voiture a glissé sur la glace, sur la route de Thverárfajall, dans les montagnes. Elle a dérapé, mais rien de grave, enchaîna-t-elle entre deux souffles. J'ai eu un peu peur…

Ari Thór sentit qu'elle retenait ses larmes.

– Garde ton calme, lui dit-il en tentant à son tour de garder le contrôle de son véhicule.

La neige virevoltait – assez pour le ralentir, mais on ne pouvait pas parler de tempête.

Il fit de son mieux pour apaiser Kristín, sans savoir si ses mots avaient le moindre effet sur elle. C'était bien la première fois qu'il devenait papa au téléphone.

L'enfant est né dans la voiture de Kristín, à flanc de montagne. Ari Thór entendit toute la scène au téléphone, et se fit confirmer par l'urgentiste que tout s'était bien passé. Kristín se trouvait maintenant dans l'ambulance, donc il n'avait qu'à se rendre directement à l'hôpital de Blönduós. Il n'eut même pas le temps de demander si c'était une fille ou un garçon – de toute façon, il s'en moquait.

Il ne tarda pas à rejoindre l'ambulance et la suivit jusqu'à l'hôpital. Il était là quand Kristín en sortit et put voir le bébé pour la première fois, soigneusement emmitouflé.

Tous les événements survenus à Kálfshamarsvík quittèrent tout d'un coup ses pensées et il sourit au bébé qui, les yeux ouverts, découvrait le monde immense qui s'offrait à lui. Puis il se tourna vers Kristín. L'enfant toujours blotti entre ses bras, elle s'efforça de lui sourire en retour. Elle avait l'air épuisée. Au moment où il s'approchait d'elle pour lui donner un baiser, elle murmura à son oreille.

– C'est un garçon.

– Félicitations, mon amour, souffla-t-il à son tour.

Une fois à l'hôpital, on confia le petit garçon à Ari Thór, qui le prit dans ses bras pour la première fois. Tout cela lui semblait parfaitement surréaliste – les doigts minuscules qui s'agrippaient si fort à son index ; le fait de devenir père, donc responsable de la vie d'un individu tout comme ses parents étaient devenus responsables de sa vie à lui. Il comptait bien veiller sur son fils plus longtemps qu'eux.

– Il va bien, même s'il est arrivé un peu en avance, dit le médecin qui avait procédé à l'accouchement, ou tout au moins qui y avait assisté, l'enfant étant déjà bien engagé à l'arrivée de l'ambulance. Vous voulez lui mettre ses vêtements ?

Il désigna les habits déposés sur le lit, sans doute par une infirmière. Ni lui, ni Kristín n'avaient apporté les affaires pour bébé qu'ils avaient déjà achetées.

Ari Thór hésita. Il se dit qu'il allait essayer, même s'il osait à peine bouger avec le nouveau-né dans ses bras, et qu'il n'était pas sûr d'arriver à enfiler des vêtements à une créature si fragile. Tout en s'escrimant à habiller son fils pour la première fois, il se rendit compte que sa vie avait changé à jamais.

Alors qu'Ari Thór s'efforçait de glisser son fils dans un minuscule pyjama vert – il se débrouillait mieux que prévu – il entendit Kristín profiter de l'occasion pour appeler ses parents et leur annoncer la bonne nouvelle. Il se demanda s'il avait quiconque à prévenir de son côté, et son bonheur se teinta aussitôt d'un soupçon d'amertume. Il n'avait ni père, ni mère, ni frères et sœurs, juste des parents éloignés qu'il voyait rarement. Peut-être pourrait-il prévenir Tómas ? Son collègue et aîné se trouvait-il vraiment en tête de liste ? Était-il son meilleur ami, en réalité ? Il avait pourtant mis des mois à lui annoncer que Kristín et lui attendaient un enfant.

Le dialogue entre Kristín et ses parents semblait vibrer d'émotion. *Tant mieux*, songea-t-il. Kristín tentait de les convaincre qu'ils n'avaient aucune raison de prendre le premier vol pour l'Islande, puisqu'il leur faudrait de toute façon patienter jusqu'au lendemain de Noël. Son père, conseiller financier, et sa mère, architecte, vivaient désormais en Norvège, où ils s'étaient installés après s'être tous les deux retrouvés au chômage à cause du krach. À plusieurs reprises, Kristín avait prévenu Ari Thór qu'à la naissance de leur petit-fils, ils trouveraient un prétexte pour revenir. Toutes les fois qu'elle leur avait parlé, ces derniers mois, ils avaient posé d'innocentes questions pour savoir si le marché du travail s'était amélioré en Islande – ils avaient déjà prévu de rentrer chez eux, elle en était persuadée.

– Ça lui va bien, dit-elle en raccrochant.

Le petit garçon revêtait désormais son tout premier habit, un pyjama vert qui tombait parfaitement.

– Maman et Papa seront là après Noël, reprit-elle, donc on a deux jours à nous avant que le grand cirque commence.

Malgré son sourire éclatant, Ari Thór voyait bien que ses parents lui manquaient. Et même si elle s'en sortait toujours bien, elle avait plus d'une fois évoqué la difficulté de commencer une vie de famille sans aucun proche pour les épauler. Elle ne tenait pas à ce qu'ils se retrouvent tout seuls.

Ari Thór jugea préférable d'attendre un peu avant de discuter du prénom de l'enfant. Il n'avait pas envie de gâcher ce moment merveilleux en allant au conflit. D'ailleurs, il s'apercevait que le nom de l'enfant lui importait finalement moins que prévu. Il passait tout à coup au second plan. Que le petit garçon soit baptisé du nom de son grand-père ou pas, il ne s'en souciait plus guère.

Il se demanda quel âge aurait son père s'il était encore en vie : cinquante-deux ans, bientôt cinquante-trois. Le nouveau-né ne connaîtrait jamais son grand-père paternel, ni sa grand-mère – ils étaient tous deux décédés quinze ans auparavant. Et pourtant, maintenant qu'Ari Thór portait dans les bras son petit garçon, il sentait la présence de son père, lequel ne quittait jamais vraiment ses pensées.

Vers dix-huit heures, épuisés par leur rude journée, mère et fils dormaient profondément. Assis au bout du lit, Ari Thór vola quelques photos à l'aide du téléphone de Kristín.

Celle-ci ouvrit les yeux et sourit.

– Comment vas-tu, mon amour ? demanda-t-il.

– Bien. Je vais bien. Mais je suis épuisée. On va passer un drôle de Noël.

– Un Noël surprise ! On ne va même pas passer le réveillon à l'hôtel de Blönduós, comme prévu, rit-il.

– C'est parfait, ici, dit-elle d'une voix usée par la fatigue.

– Ton cadeau, tous les cadeaux… ça peut attendre ce soir.

– Il faudrait qu'on lui achète quelque chose, à lui, dit Kristín.

– Tu as raison. Je n'avais pas prévu. J'imagine que tout est fermé à cette heure-ci. On va lui offrir ton livre et le lui dédicacer. Son premier cadeau de Noël.

– Mon livre ? dit-elle avant de comprendre à quoi il faisait allusion. Oh, je comprends, tu m'as acheté un livre, c'est ça ? Merci, dit-elle en lui prenant la main. J'espère qu'il est adapté à son âge…

– C'est un roman, pas un livre pour enfants, bien sûr, mais ça fera l'affaire. Pauvre petit gars, né le jour de Noël. J'espère que les gens ne se contenteront pas de lui donner un seul cadeau par an, toute sa vie.

– Tu ne peux pas imaginer, Ari Thór. La naissance. Je n'aurais jamais cru que ça faisait aussi mal…

– Tu n'as pas eu de chance cette fois, dit-il sans réfléchir.

Il se rendit aussitôt compte de ce que ses mots impliquaient – ils auraient d'autres enfants. Lui qui rêvait depuis toujours d'avoir des frères et sœurs, il se voyait bien avec deux enfants au moins, même s'ils n'en avaient jamais encore discuté ensemble.

Kristín acquiesça et Ari Thór s'efforça de changer de sujet.

– Comment ça s'est passé avec le vieux monsieur ? Est-ce que tu as découvert de terribles secrets sur ton arrière-grand-père ?

– Je t'ai parlé hier soir de sa fille, tu te souviens ?

– Pas vraiment, dit-il d'une voix misérable.

– Bon, apparemment, mon arrière-grand-père s'est rendu à Saudárkrókur un hiver, par mauvais temps, en laissant derrière lui sa famille. En son absence, sa femme est tombée malade. Elle est morte assez vite, avant son retour. Leur fille, la sœur de ma grand-mère, n'avait aucun moyen de faire venir un médecin. Elle a fait tout ce qu'elle a pu pour garder sa mère en vie jusqu'au retour du père. En vain. Sa mère est morte sous ses yeux. Elle en a toujours voulu à son père pour ça – même si ce n'était pas sa faute.

Ce court récit capta l'attention d'Ari Thór, pour une raison qui, à cet instant précis, lui échappait cruellement. Il garda un moment le silence avant de réagir.

– Pourquoi n'était-il pas chez lui ? finit-il par demander. Pourquoi s'est-il rendu à Saudárkrókur ?

– C'est ça qui est incroyable, répondit Kristín. Il s'était porté volontaire pour apporter un médicament là-bas, à un enfant gravement malade. Ce médicament n'était disponible qu'à Blönduós. Quelqu'un avait déjà fait la moitié de la route. Mais la météo a changé et ce monsieur n'a pas osé poursuivre son voyage à cause du temps. Sur le chemin, il a fait escale chez mon arrière-grand-père avant de regagner Blönduós le plus vite possible. Celui-ci s'est donc porté volontaire pour faire le reste du trajet, en plein hiver, afin d'aider une famille qu'il ne connaissait même pas. Une décision qui lui sera fatale. Le vieux monsieur que j'ai rencontré à Saudárkrókur connaissait bien l'histoire. L'enfant qui avait besoin du médicament, c'était son frère aîné. Mon arrière-grand-père lui a sauvé la vie en lui apportant le médicament à temps. Il passe presque pour un saint auprès de la famille.

Mais les pensées d'Ari Thór restaient bloquées sur la première partie de l'histoire. D'après Kristín, la fille de son arrière-grand-père, qui avait vu sa mère mourir sous ses yeux, tenait son père pour responsable, même s'il était innocent.

– Excuse-moi, mon amour. Il faut que j'appelle Tómas.

– Quoi ? Maintenant ? Pour lui annoncer la naissance ?

– Oui… Enfin, oui et non. Tu ne m'en veux pas ?

– Bien sûr que non. Je crois que je vais en profiter pour dormir. Mais c'est incroyable, tu ne trouves pas, que ce pauvre homme, qui voulait faire le bien, en ait été puni ? C'est vraiment injuste.

– Profondément injuste. Mais au moins, tu sais que tes ancêtres étaient de braves gens, dit-il en souriant.

Couvant du regard l'enfant endormi dans ses bras, il caressa la joue de sa maman. Puis il sortit dans le couloir pour appeler Tómas.

– Pas possible ! cria Tómas au téléphone en apprenant la nouvelle. Félicitations, mon garçon, je suis heureux pour toi. Tu dois être aux anges.

– Tu peux le dire, répondit Ari Thór, sincère.

Il n'arrivait toujours pas à se faire à l'idée qu'il avait un fils, un bébé qui dormait dans une chambre d'hôpital. Il avait bien eu quelques mois pour s'y habituer, et pourtant rien ne l'avait préparé à cette sensation si puissante, si vertigineuse.

– Tu es à Reykjavík ? demanda-t-il.

– Oui, je suis enfin à la maison, répondit Tómas. Ma femme était ravie de me voir. Passer Noël toute seule, franchement…

– Je voudrais te faire part d'une hypothèse. Au sujet de l'affaire.

– Tu penses encore à ça, vraiment ? Tu ne t'arrêtes jamais, hein ? Allez, vas-y. Je t'écoute.

– Comme tu le sais, la chambre d'Ásta, au grenier, est le seul endroit d'où on a vue sur la falaise.

– Exact, confirma Tómas, concentré.

– Petite, elle a dit à Thóra qu'elle devait s'en aller à cause de ce qu'elle avait vu, on est d'accord ?

– Oui, en tout cas c'est ce que Thóra nous a dit.

– Donc, pour tout le monde, elle a assisté à la mort de sa sœur – peut-être même, vu quelqu'un la pousser dans le vide. Tu te souviens de ce que nous a dit Arnór ? Selon lui, Kári a raconté à Thóra ce qui s'est passé quand Sæunn a gagné la falaise – elle est tout simplement sortie en pleine nuit pour se jeter dans le vide. Kári aurait voulu l'en empêcher, mais il n'a pas réussi...

– Oui, je me rappelle. Où tu veux en venir ?

– Pour finir, ce matin, on a découvert cette vieille lettre qu'Ásta a écrite à Óskar à l'âge de douze ans. Apparemment, elle refusait de rendre visite à son père à l'hôpital. Bref, Kristín m'a raconté quelque chose qui n'a rien à voir avec l'affaire, mais qui m'a fait réfléchir. Et si on s'était trompés sur toute la ligne ? Nous deux, mais aussi Thóra, et toutes les personnes concernées ? Et si Ásta avait assisté non pas à la mort de sa sœur, mais à celle de sa mère, depuis la fenêtre du grenier ? Si toute sa vie, elle avait cru que Kári l'avait jetée dans le vide ?

12

– Pas possible ! dit Tómas pour la deuxième fois en quelques minutes. Rappelle-moi quel âge avait Ásta à la mort de sa mère ?

– Cinq ans à peine, répondit aussitôt Ari Thór.

Il connaissait le dossier par cœur.

– Bon sang, tu imagines l'effet sur la gamine ? Assister à un truc pareil à l'âge de cinq ans…

– Exactement. Déjà, voir sa mère perdre la vie d'une manière si terrible, mais en plus, vivre avec l'idée que c'est son père qui l'a poussée… soupira Ari Thór. Plus tard, à la mort de sa sœur, on l'a envoyée à Reykjavík. Peut-être que son père voulait lui éviter de connaître le même sort… mais si ça se trouve, elle a cru qu'il se débarrassait d'elle pour éviter qu'elle ébruite cette histoire. Et elle lui en a tenu rancune pendant longtemps ; c'est bien l'impression que donne la lettre qu'elle a envoyée à Óskar. Elle a sans doute cru jusqu'à son dernier souffle que son père était responsable de la mort de sa mère – qu'il l'avait poussée du haut de la falaise. Alors qu'en fait, il essayait de la sauver.

– Ton hypothèse est intéressante, mais elle ne blanchit pas Arnór, dit Tómas.

– Je sais bien.

– En fait, je suis de plus en plus persuadé qu'il l'a tuée.

– Vraiment ? s'étonna Ari Thór, stupéfait.

– Oui, parce que ça nous libère de l'hypothèse qu'elle a été tuée par quelqu'un d'autre – par l'assassin de Tinna, qui souhaitait aussi la mort d'Ásta, au cas où elle reviendrait dire la vérité. Si, comme tu l'imagines, Ásta a *réellement* assisté à la mort de sa mère, alors ma théorie tombe à l'eau.

Ari Thór prit le temps de réfléchir.

– Pas faux. Mais tout le monde s'accorde à dire qu'Ásta savait quelque chose sur la mort de Tinna. Si cette personne – celle qui a tué Tinna – le pensait aussi, si elle voulait s'assurer qu'Ásta ne la dénoncerait pas, alors...

– J'ai du mal à y croire, dit Tómas. On verra bien... Plus coupable qu'Arnór, tu meurs. Il fera des aveux demain, après avoir passé une nuit en prison. Généralement, ça leur suffit.

Après avoir raccroché avec Tómas, Ari Thór resta dans le couloir afin de permettre à Kristín de dormir. Il se félicitait de cette bonne idée, cette idée de père de famille, quand son téléphone se mit à sonner. Numéro inconnu, mais il décida de prendre l'appel. La personne devait avoir une bonne raison pour le joindre juste avant le réveillon.

– Ari Thór, annonça-t-il.

– Oui, bonsoir, Ari Thór.

Cette voix de femme lui parut familière.

– C'est à nouveau Sara… Elín Sara. On s'est parlé ce matin.

Elle s'exprimait d'une voix hésitante, comme si elle n'était pas sûre d'avoir pris la bonne décision.

– Je suis désolée de vous appeler si tard, j'imagine que vous êtes chez vous en train de préparer le dîner de Noël…

Ce n'était pas vraiment le cas, mais comme il se sentait d'humeur aimable et courtoise, il répondit qu'elle ne le dérangeait pas. Il était surtout convaincu qu'elle allait lui faire une révélation importante, de celles qui pourraient donner une nouvelle orientation à l'enquête.

– J'ai repensé à ce qu'on s'est dit ce matin… En fait, je n'ai pas été tout à fait honnête avec vous, dit-elle d'une voix tremblante. Ça m'a causé un choc de repenser à cette période, même si c'est le genre d'endroit qui vous marque à jamais. Je suis vraiment stupéfaite que Thóra ait mentionné mon nom après toutes ces années. Je lui en ai voulu pendant si longtemps, vous savez, et c'est encore le cas aujourd'hui… mais ça fait du bien de savoir qu'elle s'en voulait, elle aussi.

– Est-ce qu'elle vous a fait du mal ? hasarda Ari Thór, désorienté.

– Thóra ? Non, pas vraiment, dit-elle d'une voix songeuse. Le problème, c'est plutôt ce qu'elle n'a *pas* fait. Elle aurait dû réagir autrement. Elle s'est très mal comportée.

Elle observa une longue pause avant de reprendre.

– J'ai fait une dépression, vous savez. Je me suis enfermée dans ma coquille sans en parler à personne, jamais, pendant toutes ces années. Et puis voilà que vous appelez, et je me dis que c'est peut-être l'occasion que j'attendais, l'occasion de raconter mon histoire… Je pense que ça me ferait du bien.

Elín Sara s'interrompit. Ari Thór s'installa sur l'une des chaises de plastique jaune alignées dans le couloir de l'hôpital – elles avaient l'air inconfortables, et elles l'étaient.

– Que s'est-il passé ?

Elle ne répondit pas tout de suite. Apparemment, il lui était douloureux d'en parler.

– Bien sûr, j'aurais dû réagir à l'époque, même si Thóra m'a laissée tomber. Mais j'étais petite, je n'avais que neuf ans. Au moins, j'ai eu le réflexe de m'échapper.

Ari Thór faillit répéter sa question, mais il se ravisa – mieux valait ne pas lui mettre la pression.

– Il m'a emmenée visiter le phare. J'étais toute contente. Je ne m'en suis pas rendu compte à l'époque, mais il a choisi le moment idéal, où personne ne nous verrait. Ce qui n'avait pas d'importance, au final, parce qu'une fois à l'intérieur du phare, il a fermé la porte à clé. Je m'en souviens très bien. C'était horrible. Mais je n'en ai jamais parlé.

Ari Thór voyait la scène défiler dans sa tête. Il s'était lui-même senti terriblement mal à l'aise dans ce phare.

– On n'a même pas monté l'escalier. Il est passé à l'action juste après avoir fermé la porte.

Il y eut à nouveau un silence. Elle prit une grande inspiration avant de poursuivre. Chaque mot lui coûtait.

– Je n'ai jamais cherché à trouver les mots, et je ne suis pas sûre d'y arriver. Mais il a enlevé son pantalon, son caleçon… dit-elle avant de s'interrompre. Vous voyez…

Ari Thór, écœuré par ce qu'il entendait, se serait bien passé de la suite.

– Il ne m'a pas touchée – mais ça ne change rien à l'affaire. Je n'ai jamais… dit-elle, avant de répéter avec force, *jamais* tourné la page. J'ai essayé d'en parler à Thóra le soir même. Elle a immédiatement réagi. « Tu mens, petite » : voilà ce qu'elle a dit sans se démonter. Comme si elle s'en fichait. Mais je n'ai pas baissé les bras, et j'ai bien vu qu'à la fin, elle me croyait. Et vous savez ce qu'elle m'a dit ?

– Non…

– « La vie est parfois injuste ». Voilà ce qu'elle a dit, cette vieille salope ! rugit Elín Sara, prise de colère. « La vie est parfois injuste » ! Je n'ai pas pu le supporter. J'ai appelé mes parents pour qu'ils viennent me chercher. Je ne leur ai jamais dit pourquoi. Je n'ai jamais réussi à en parler à personne avant vous. Ça me fait du bien, vous savez. Bien sûr, j'aurais dû réagir quelques années plus tard – lui coller un procès, à cette ordure. Mais plus le temps passait, moins j'avais envie d'en parler. J'avais juste envie d'oublier.

Elle retomba dans le silence.

Il restait une question à poser. Ari Thór se rendit compte qu'au fond de lui, il espérait Arnór coupable. Ainsi, ils auraient arrêté la bonne personne, même si c'était pour de mauvaises raisons.

– Qui vous a infligé ça ? finit-il par demander, brûlant de connaître la réponse.

– Reynir, bien sûr. Qui, histoire de remuer le couteau dans la plaie, est devenu le chouchou des médias. Monsieur Parfait, avec son sourire accroché au visage. Ce sourire, je m'en souviens très bien. Pour moi, il est le reflet d'autre chose. Et cette chose me révolte.

13

Par la porte entrebâillée, Ari Thór constata que Kristín et le bébé dormaient tous les deux profondément. Il lui coûtait de les abandonner, mais il n'avait pas le choix. Il demanda à l'aide-soignant de transmettre un message à Kristín dès qu'elle se réveillerait, se rua vers le véhicule de police qu'il avait emprunté au commissariat de la région et fila vers Kálfshamarsvík aussi vite que possible – et plus vite encore. Par temps de neige et sur une route glacée, les conditions n'étaient pas idéales pour une conduite sportive.

Toutes les pièces du puzzle commençaient à s'imbriquer. Reynir n'avait pas abusé d'une seule fille, il en était convaincu. Ásta avait sans doute connu la même expérience. Comme Elín Sara, elle n'en avait jamais parlé. Ásta était probablement revenue pour se venger, ou pour lui extorquer de l'argent, ce qui semblait plus pertinent vu ses difficultés financières. La mort d'Ásta, en ravivant tous ses soupçons, avait bouleversé Thóra – elle savait ce que Reynir avait fait endurer à Sara.

Si Reynir avait fait la même chose à Ásta, et peut-être à Tinna, pouvait-on en déduire qu'il les avait tuées ?

Après quelques verres de vin, Thóra avait osé mentionner le nom de Sara. Reynir, choqué, ne tenait pas à courir le risque qu'elle en dise davantage. Il avait dû l'étouffer pendant la nuit. À tous les coups, il se dédouanait en pensant que, de toute façon, ses jours étaient comptés.

Oui, tout collait.

Il faisait nuit quand Ari Thór arriva au cap. Seule la lumière du phare brillait – la maison, elle, était plongée dans l'ombre et le 4 × 4 de Reynir avait disparu.

Ari Thór sauta de la voiture, courut jusqu'au portail qu'il mit trop longtemps à ouvrir, puis se hâta de rejoindre la maison. Il eut beau frapper à la porte, personne ne répondit. Il tourna la poignée et découvrit qu'elle n'était pas fermée à clé. Au moment d'entrer, il appela à la ronde avant de parcourir toutes les pièces, mais la maison semblait vide.

Il se rendit alors compte qu'il était bientôt dix-neuf heures. Or Óskar avait précisé que lui et sa sœur avaient pour habitude d'assister à la messe de Noël de dix-huit heures. Óskar avait même donné le nom de l'église, mais Ari Thór ne s'en souvenait pas. Il appela l'inspecteur de Blönduós sur son portable. Il ne s'excusa même pas de le déranger au beau milieu des festivités, omit de lui souhaiter un joyeux Noël. Il se présenta avant d'aller droit au but.

– À quelle église vont les habitants de Kálfshamarsvík ?

– À Hof, j'imagine, répondit tranquillement l'inspecteur.

Hof, c'est bien ça, songea Ari Thór.

– C'est un drôle d'endroit, poursuivit aimablement l'inspecteur. Il y a bien longtemps, un prêtre y a été accusé de sorcellerie…

– Merci, dit Ari Thór pour couper court. Comment j'y vais ?

– Vous êtes où ?

– À Kálfshamarsvík.

– Retournez vers Skagaströnd, et au bout de dix minutes vous trouverez l'église sur votre gauche. Vous ne pouvez pas la rater. Mais qu'est-ce que vous allez fabriquer là-bas ?

Ne jugeant pas utile de répondre, Ari Thór raccrocha et fit demi-tour. Il conduisait en silence, aussi vite que possible, en prenant garde de ne pas quitter la route. Il neigeait toujours et l'obscurité, prégnante, rendait la conduite dangereuse. Par chance, la neige reflétait un peu la lumière, et il n'eut pas de mal à trouver l'église – elle était bien éclairée, et il vit plusieurs voitures sur le parking.

Ari Thór se gara à côté d'un tracteur fatigué qui devait autrefois briller d'un rouge vif – mais cette époque était bien révolue. Il grimpa quatre à quatre les marches menant à l'église. La chaleur d'un hymne de Noël se déversait dans le froid de l'hiver. L'église, peinte en blanc et dont le rouge du toit perçait à travers la neige, avait fière allure.

Hésitant à interrompre la messe, il se tint un moment à l'entrée, sous les deux croix. Puis il ouvrit doucement la porte et jeta un coup d'œil à l'intérieur. Reynir était assis dans le fond, près de la nef, à côté d'Óskar.

Le prêtre aperçut tout de suite Ari Thór, mais les fidèles ne lui prêtèrent pas la moindre attention jusqu'à ce qu'il s'avance vers Reynir et lui tape sur l'épaule.

– On peut se parler dehors, s'il vous plaît ? Ça ne peut pas attendre, murmura-t-il à son oreille.

Stupéfait – ou effrayé, peut-être – Reynir se leva de sa chaise. Une rumeur traversa la foule tandis que le chœur s'efforçait, sans y parvenir, de faire entonner l'hymne.

Ari Thór conduisit Reynir au-dehors, sous la neige. Alors qu'il s'apprêtait à l'emmener jusqu'à la voiture de police, Óskar apparut en haut des marches. Pour une fois, il ne portait pas son col roulé bleu : il l'avait remplacé par un costume gris, une chemise blanche et une cravate rayée verte. Comme toujours, il avait sa canne à la main.

– Qu'est-ce qui se passe, bon sang ? demanda Óskar, dont la voix forte et autoritaire surprit Ari Thór.

Ari Thór s'immobilisa. Reynir aussi.

– J'ai besoin de parler à Reynir.

– À quel sujet ?

Ari Thór poussa un soupir.

– Il y a du nouveau. J'ai des questions à lui poser.

– Comment osez-vous me déranger pendant la messe de Noël ? siffla Reynir aux oreilles d'Ari Thór.

Il considérait sans doute que la meilleure défense consiste à attaquer.

– Je vous ai laissé prendre toutes les libertés, reprit-il, mais cette fois, vous allez trop loin. J'irai porter plainte demain matin, à la première heure.

Arrogant jusqu'au bout, songea Ari Thór. Eh bien, autant qu'Óskar apprenne tout de suite à quelle sorte d'homme il avait affaire.

– C'est fini pour vous, Reynir, aboya Ari Thór. Sara – Elín Sara – m'a appelé ce soir pour me raconter toute l'histoire. Elle a rompu le silence. Combien de temps pensiez-vous pouvoir garder le secret ?

Ari Thór avait visé juste. De toute évidence, Reynir ne s'attendait pas à cela. Il ne semblait pas pour autant prêt à capituler.

– De quoi vous parlez, mon garçon ? Je ne connais aucune Sara. Et je n'ai rien d'autre à dire, lança-t-il en retournant vers l'église.

Ari Thór l'attrapa par le bras.

– Vous restez avec moi.

– Sara ? La fille qui a séjourné chez nous ? demanda Óskar.

– Exact, répondit Ari Thór en essuyant les flocons tombés sur ses yeux.

– Elle vous a appelé ? poursuivit Óskar.

– Ne te mêle pas de ces bêtises, Óskar, ordonna Reynir, comme s'il s'adressait à un employé.

– Je lui ai parlé plus tôt dans la journée mais elle n'a rien voulu me dire. Et puis, ce soir, elle m'a raconté toute l'histoire – elle m'a décrit avec précision ce que Reynir lui avait fait subir.

Reynir se figea, comme tétanisé.

– Il l'a emmenée avec lui au phare, il a fermé la porte à clé… et il l'a abusée sexuellement.

– Nom de Dieu ! cria Óskar. C'est vrai, Reynir ? C'est vrai ?

Reynir regarda tour à tour Ari Thór, puis Óskar, l'expression neutre, comme si tout ça ne le concernait pas.

– Bien sûr que non. Tout ça n'est qu'un tissu de mensonges.

– Cette fille, Sara, en a parlé à Thóra, mais Thóra a refusé de l'aider. Et j'ai l'impression que Thóra l'a regretté jusqu'à sa mort, dit Ari Thór.

Óskar lança à Reynir un regard furieux.

– Nom de Dieu ! jura-t-il. Elle a toujours pris soin de toi. Elle s'est occupée de toi comme si tu étais son propre fils, le fils qu'elle n'a jamais eu. Et toi, tu t'es toujours très mal comporté avec elle.

– Je ne lui devais rien, dit Reynir. C'était une employée, elle n'a jamais remplacé ma mère. Elle se l'imaginait ? Dans ce cas, elle était encore plus dérangée que je ne le pensais.

– Comment oses-tu parler sur ce ton de ma sœur ? siffla Óskar entre ses dents, sans réfléchir qu'il tirait ses revenus de l'homme en face de lui.

Reynir ne réagit pas. Óskar poursuivit.

– Comment peux-tu faire ça ? Abuser d'une petite fille ? C'est pour ça qu'Ásta est revenue pour Noël ? Tu as abusé d'elle aussi ? Elle voulait se venger ? demanda Óskar en agitant sa canne. Réponds-moi ! cria-t-il.

Reynir resta silencieux.

– Mon Dieu, dit Óskar. Si ta mère avait su…

– Laisse ma mère tranquille, répondit Reynir, piqué au vif.

Il parlait désormais d'un ton plus mesuré.

Óskar fit quelques pas vers lui et le poussa avec violence. Reynir tomba à la renverse.

– Est-ce que tu tripotais Ásta à l'époque ? gronda-t-il en s'approchant de celui qui gisait désormais à terre, impuissant.

L'air menaçant, il posa un pied sur sa poitrine.

– Alors ? Dis-moi la vérité ! hurla-t-il.

Reynir avait l'air terrifié par Óskar. Apparemment, il ne s'attendait pas à une telle fureur de sa part. Óskar était fort comme un chêne, avait dit Reynir – Ari Thór s'en souvenait.

À deux doigts d'intervenir, il se retint. Certes, il ferait mieux de s'interposer et de poursuivre son entretien avec Reynir loin d'Óskar, mais il avait envie de savoir comment l'altercation se terminerait. Même si c'était risqué, il décida d'attendre. Quelque chose lui disait qu'il en apprendrait davantage.

– Je veux la vérité ! répéta Óskar.

Reynir ouvrit la bouche, mais il avait du mal à respirer. Óskar ôta son pied.

– Je n'ai jamais touché Ásta ! dit Reynir d'une voix étranglée. Jamais ! Je l'ai laissée tranquille. Je le jure... elle se montrait trop agressive. Tinna était beaucoup plus facile...

– Espèce d'ordure ! cracha Óskar. Qu'est-ce que tu lui as fait, à Tinna ?

– Je ne les ai jamais touchées ! dit Reynir.

Óskar recula d'un pas pour permettre à Reynir de se redresser.

– On a retrouvé l'ordinateur, mentit Ari Thór, qui comprit tout à coup pourquoi Reynir l'avait « perdu ».

– Quoi ? Vous l'avez retrouvé ?

– Vous ne teniez pas à ce qu'on voie les images, c'est ça ?

– J'ai arrêté... bégaya-t-il. Ces photos, je les ai trouvées sur Internet !

Merde, songea Ari Thór. Il avait vu juste.

– Je vois, dit Ari Thór, qui voulait profiter de ce moment de faiblesse chez Reynir. Je crois que j'ai compris.

– Je ne suis pas un sale type... Je ne les ai jamais touchées, vous savez, dit Reynir en se relevant tant bien que mal.

– Et la mort d'Ásta, c'était un accident ?

– Elle s'apprêtait à m'extorquer des millions. Elle a dit qu'elle avait décidé de me faire chanter après la mort de mon père, une fois que j'aurais hérité de tout... Ce qu'elle ne savait pas, c'est qu'il ne reste pas grand-chose. Le paternel avait plus de flair que moi pour les affaires. À deux ou trois occasions, je n'ai pas pris la bonne décision, on dirait.

– Qu'est-ce qui s'est passé, cette nuit-là ? demanda Ari Thór.

Les flocons de neige voletaient toujours autour d'eux, mais Reynir n'avait pas l'air de s'en soucier. En revanche, ils rappelaient à Ari Thór que c'était le soir de Noël, après tout. Ils paraissaient sereins, majestueux et impartiaux, ces minuscules cristaux étincelants ; peu leur importait que parmi les hommes debout sur le parvis se trouve un meurtrier.

– Elle a frappé à ma porte assez tard ce soir-là, passablement éméchée, et m'a demandé de l'emmener au phare. Je n'avais aucune idée de ce qui se tramait, donc je l'ai accompagnée, soupira-t-il. Je n'aurais pas dû. À tous les coups, elle savait où j'avais emmené Tinna.

– Où tu avais emmené Tinna ? intervint Óskar.

– Oui... au phare...

Il n'y avait plus aucune trace d'arrogance dans son attitude. Reynir avait l'air soulagé, comme si sa confession allait lui garantir l'absolution.

– Elle m'a lancé toutes sortes de menaces. Elle disait avoir des preuves. Je crois qu'elle bluffait, mais j'ai paniqué. Si tout cela venait à se savoir, je perdais non seulement mon affaire, mais aussi ma réputation. Il ne me resterait plus rien. Je me suis lâché, mais je n'avais pas l'intention de la tuer !

Il sanglotait, mais à cause de la neige il était impossible de voir s'il pleurait pour de bon.

– Et après ? demanda calmement Ari Thór.

– Je l'ai attrapée à la gorge, je l'ai secouée et à un moment, sa tête a heurté le mur. C'était un accident ! Je n'ai jamais voulu la tuer, répéta-t-il.

– Pourquoi l'avez-vous jetée du haut de la falaise ?

– Vous croyez que j'avais le choix ? Elle était étendue, morte, sur le sol glacé du phare, en pleine nuit. J'ai tout de suite pensé à la falaise. Ce n'était pas si absurde qu'elle se tue à l'endroit où sa mère et sa sœur avaient trouvé la mort. J'espérais que son décès serait classé comme un suicide... mais tout n'a pas marché comme prévu...

– À plusieurs reprises, vous avez évoqué les fantômes qui hantaient la région, vous nous avez raconté des histoires surnaturelles. Vous le faisiez exprès, non ? demanda Ari Thór. L'idée, c'était d'entourer de mystère ces trois décès.

– Peut-être bien, marmonna Reynir.

– Je viens de me souvenir d'un truc que tu as dit la nuit où Thóra est morte, dit Óskar, hors de lui. Qu'Ásta avait toujours été jolie fille. Elle avait sept ans, la dernière fois que tu l'avais vue. C'est à vomir !

– Et Thóra ? demanda Ari Thór. Pourquoi fallait-il qu'elle meure ? Parce qu'elle avait parlé de Sara ?

– Thóra m'a regardé droit dans les yeux quand elle a parlé de Sara. Clairement, elle savait ce qui s'était passé, et elle n'avait pas dit son dernier mot. Elle voulait sans doute régler ses comptes avec moi avant qu'il ne soit trop tard. Je ne pouvais pas courir le risque. De toute façon, il lui restait très peu de temps à vivre... C'est par charité que j'ai mis fin à ses jours : je lui ai évité une longue agonie.

Ari Thór avait deviné que tôt ou tard, Reynir utiliserait cet argument pour justifier son crime.

Óskar était sur le point de bousculer à nouveau Reynir, mais cette fois Ari Thór le retint.

– Du calme, lui dit-il.

– Espèce d'ordure ! cracha Óskar. Tu as tué ma sœur ! Comment as-tu osé ?

Épuisé, il se pencha en avant et baissa la tête.

– Apparemment, elle a résisté, dit Ari Thór à Reynir. D'où la tache de vin.

– Au début, oui. Et puis elle a fini par s'abandonner. Elle a accepté son sort.

– Et Tinna... Vous l'avez bien poussée dans le vide, elle aussi ? hasarda Ari Thór.

Reynir ouvrit des yeux ronds, comme s'il implorait Ari Thór.

– Absolument pas ! Je ne l'ai pas touchée ! Pas comme ça, en tout cas... Vous êtes fou ? Jamais je ne pourrais tuer un enfant. C'était sûrement un accident. Je serais incapable de faire ça. Vraiment.

D'instinct, Ari Thór eut envie de croire Reynir, même s'il pouvait très bien refuser d'avouer ce crime-là.

– Je te souhaite de brûler en enfer, espèce d'ordure, jura Óskar.

Il se tourna vers Ari Thór.

– Je vais vous dire la vérité. J'ai gardé ça pour moi trop longtemps. À mon avis, on ne peut pas blâmer Reynir pour la mort de Tinna. Je ne vous dis pas ça pour sauver sa peau, mais pour mettre fin, une fois pour toutes, à un secret qui a duré trop longtemps.

– Comment ça ? demanda sèchement Ari Thór.

Se pouvait-il que cet homme charmant ait lui aussi un crime sur la conscience ? Aurait-il tué la petite fille ?

– Reynir n'a pas tué Tinna.

– Comment le savez-vous ?

– J'ai plus ou moins assisté à la scène. J'étais en train de nager, à bonne distance du rivage, mais je n'ai rien dit, je n'ai jamais pu m'y résoudre. J'imagine que ça ne fait plus grande différence aujourd'hui. La vérité finit toujours par sortir, non ?

– C'était un accident ? demanda Ari Thór.

Le scénario qu'il avait désormais en tête le mettait mal à l'aise. L'hypothèse de l'accident, à laquelle il n'avait jamais pensé auparavant, lui paraissait maintenant la plus crédible. Il souhaitait plus que tout se tromper, et priait pour qu'Óskar le lui démontre.

– Non, ce n'était pas un accident, dit-il en soupirant. À mon avis, c'est Ásta qui l'a poussée.

– Ásta aurait poussé sa propre sœur du haut de la falaise ?

– Oui, je crois que ça s'est passé comme ça. Ásta n'a jamais été une enfant comme les autres, surtout après la mort de sa mère.

– Après avoir assisté à la mort de sa mère, vous voulez dire ? ajouta Ari Thór en pensant à une nouvelle théorie.

– Vous croyez ? Ça expliquerait pas mal de choses. Ásta se montrait distante et froide – presque impassible. Mais on s'entendait bien. Je l'adorais. Après la mort de sa mère, j'ai vu plus clair en elle. Elle était maline et vivait dans un monde à part. Sans réfléchir, je vous ai dit ce matin que je m'étais brûlé les ailes dans cette relation. Ce jour-là, en nageant, je les ai vues toutes les deux en haut de la falaise. Il n'y avait personne d'autre. Je suis sûr qu'elles jouaient, et tout à coup, voilà que Tinna disparaît. Comme je pensais qu'elle était rentrée à la maison, je ne me suis pas pressé pour regagner le rivage. Plus tard, quand on m'a dit que Tinna était tombée du haut de la falaise, j'ai compris ce qui avait dû se passer. Je l'ai lu sur le visage d'Ásta. Elle a menti à tout le monde en racontant qu'elle ne s'était pas approchée de la falaise.

L'image qu'avait Ari Thór d'Ásta en prit un coup. Il revoyait son sourire énigmatique et son regard distant. Était-ce bien le portrait d'une fille qui avait poussé sa petite sœur dans le vide à l'âge de sept ans ?

– Pourquoi elle aurait fait ça ? demanda Ari Thór.

Reynir avait, semble-t-il, repris ses esprits. Sa voix avait retrouvé de l'assurance.

– J'ai ma petite idée, dit-il. Il y a longtemps, peu après la mort de sa sœur, elle m'a dit quelque chose…

– Quoi donc ? demanda Ari Thór, incapable de cacher son impatience.

– Elle a dit que maintenant, on pourrait faire de la voile ensemble l'été : comme Tinna avait disparu, elle ne pourrait plus raconter des histoires sur moi à son père… et j'étais toujours prêt à emmener Ásta en mer. Vous savez, elle était fascinée par le bateau que je construisais dans ce temps-là. Je lui avais promis qu'on pourrait faire des promenades en mer tous les jours dès que je l'aurais fini. Elle ne cessait de me rappeler cette promesse. Peut-être… peut-être qu'elle a cru nécessaire de se débarrasser de Tinna pour être sûre de pouvoir vivre son rêve.

Ari Thór se tourna vers Óskar.

– Pourquoi n'avoir rien dit à l'époque ? Pourquoi vous n'avez pas expliqué ce qui était arrivé à Tinna ?

Il comprenait tout à fait pourquoi Reynir n'avait pas parlé du bateau ni de la promesse faite à Ásta – lui aussi avait des secrets à cacher.

– Elle n'avait que sept ans ! Je n'avais pas envie de lui gâcher la vie, je me suis dit que ça n'avancerait à rien. Et puis son père lui a fait prendre le large. Je crois qu'il se doutait de quelque chose, qu'il avait deviné. Il a vu clair dans son jeu et ne supportait plus sa présence, dit Óskar avant de marquer une pause. Ásta n'était pas si gentille que ça, dit-il en guise de conclusion.

Ari Thór entendait s'échapper de l'église les échos de *Douce Nuit*, qui annonçait la fin de l'office.

– Venez, dit-il à Reynir. Il faut qu'on y aille.

Il jeta un regard à Óskar, debout sur les marches de l'église.

Reynir et lui gagnèrent la voiture de police. La jolie musique qui résonnait dans l'église s'estompait à chacun de leurs pas.

14

Reynir garda le silence pendant l'essentiel du voyage. Il attendit d'arriver à Blönduós pour parler.

– Vous ne croyez pas sérieusement à tout ce que j'ai dit tout à l'heure, si ? dit-il d'une voix glaciale.

– Comment ça ?

– Ce misérable vieillard me terrifiait. Il fallait que je trouve un moyen de le calmer. D'ailleurs, je ne comprends toujours pas pourquoi vous n'êtes pas intervenu. Je n'hésiterai pas à porter plainte contre vous. Bien entendu, je ne parlerai qu'en présence de mon avocat, qui arrive de Reykjavík.

Ari Thór connaissait bien cette facette de Reynir. Il avait cédé sous la pression, et maintenant il tentait de faire machine arrière ; il faisait passer toute l'histoire pour un tissu de mensonges afin de sauver sa peau.

De la même manière, Ari Thór l'imaginait très bien jouer son va-tout quand Ásta l'avait piégé, au phare. Il se sentait coincé, il se prenait pour la victime et il avait fini par perdre son sang-froid…

Il s'en tirerait peut-être à bon compte. Ari Thór avait conscience que ses aveux sur le parvis de l'église ne constituaient en aucun cas une preuve solide. Tant mieux si Elín Sara pouvait faire une déposition suite à l'abus sexuel qu'elle avait subi. Ça suffirait à prouver quel genre d'homme il était.

Ari Thór pensa à Óskar. Qu'adviendrait-il du vieux bonhomme ? Il ne pourrait sans doute pas rester dans la maison, et il paraissait peu probable qu'il ait de l'argent de côté. Il lui faudrait sans doute quitter Kálfshamarsvík, qu'il aimait si profondément, et finir sa vie ailleurs. Avait-il de la famille quelque part ? Dans le cas contraire, il n'aurait nulle part où aller, et se retrouverait tout seul. Un sort bien cruel.

D'un autre côté, Arnór ne tarderait pas à sortir de prison, et Ari Thór s'en réjouissait. Il pourrait ainsi passer les fêtes de Noël – ou ce qu'il en restait – avec sa femme. Ari Thór n'arrivait pas à comprendre la nature de leur relation, mais il n'était pas du genre à porter un jugement sur les choix de vie d'autrui. Il avait assez à gérer avec la sienne.

Ils en avaient fini avec les formalités. Reynir serait placé en détention provisoire à Akureyri, ce dont Tómas avait été informé. Ari Thór l'avait entendu cracher à moitié sa bière de Noël en entendant la nouvelle.

– Je te rejoins tout de suite dans le Nord, dit-il avant de raccrocher.

Cette fois, Ari Thór n'eut pas le temps de protester.

Il se hâta de regagner l'hôpital. Kristín était réveillée, mais pas le bébé.

– Tu étais passé où ? murmura-t-elle, tout sourire.

Couvant du regard l'enfant assoupi, il hésitait à répondre.

– Ne t'inquiète pas, dit-elle à voix basse. Il dort profondément.

– Quelle journée ! J'ai procédé à l'arrestation de Reynir Ákason.

– Vraiment ? C'est lui qui a tué cette femme… Ásta ? demanda-t-elle, étonnée.

– Oui, et l'autre aussi, la nuit dernière. Il a avoué les deux meurtres. Et ce n'est pas tout. Apparemment, il a bien d'autres choses à se reprocher… abus sexuel sur mineurs, notamment sur Tinna, la sœur d'Ásta…

Il regretta ses mots au moment même où il les prononçait. Il n'avait aucune envie de raconter dans le détail ce qui était arrivé à la petite fille, pas tout de suite. Comment expliquer à Kristín, mère d'un enfant innocent âgé de quelques heures, et qui dormait si paisiblement, qu'une petite fille d'à peine sept ans avait jugé opportun de pousser sa sœur du haut d'une falaise escarpée ? Comment lui expliquer qu'elle avait probablement agi dans le but de protéger son ami, un prédateur sexuel, parce qu'il lui avait promis de l'emmener faire du bateau ? Elle qui adorait la mer…

– Ari Thór, dis-moi… commença Kristín.

Il l'interrompit avant qu'elle formule sa question.

– Plus tard, mon cœur. Je t'en parlerai plus tard.

– Quoi ? Oui, d'accord, plus tard. Mais je voulais te poser une question.

– Je t'écoute.

– Tu peux me parler de ton père ?

La question prit Ari Thór au dépourvu.

– Qu'est-ce que tu veux savoir ?

– Ce qui lui est arrivé…

Ari Thór hésita.

– Un jour, je te raconterai toute l'histoire. Mais pas tout de suite.

Il laissa pourtant ses pensées revenir quinze ans en arrière, à l'été 1997, quand son père, nommé lui aussi Ari Thór Arason, avait disparu sans laisser de trace.

Et puis, il y a six ans, à l'été 2006, Ari Thór avait reçu par la poste un courrier inquiétant : une réclamation officielle concernant une dette de 7 000 livres sterling contractée au Royaume-Uni à l'aide d'une carte de crédit au nom de « Ari Thór Arason ». Ari Thór pensa d'abord à une usurpation d'identité, mais il remarqua vite que la lettre donnait des informations personnelles sur le porteur de la carte, y compris sa date de naissance : 15 janvier 1960. C'était la date de naissance du père disparu d'Ari Thór. Et s'il était encore en vie ? Ari Thór avait immédiatement réservé un vol pour Londres pour se lancer sur la piste de son père…

Mais comme il venait de le dire à Kristín, cette histoire attendrait. L'important, c'était de penser à l'avenir.

Note de l'auteur et remerciements

Cette histoire est une fiction. Les personnages et les événements rapportés ne s'inspirent pas de la réalité.

Cependant, la baie de Kálfshamarsvík et le cap de Kálfshamarsnes existent vraiment et j'ai tenté de décrire cette région avec la plus grande précision, même si les mots peinent à rendre la beauté de ses paysages. La maison située sur la pointe de Kálfshamarsnes est issue de l'imagination de l'auteur, tout comme l'histoire elle-même, et ne prend pour modèle aucune des maisons qui s'y trouvaient.

Le roman utilise comme décor le site du village qui s'étendait jadis à Kálfshamarsvík, et ce village a bel et bien existé. Les informations fournies par les personnages du livre sur l'histoire du bourg sont exactes. Le village a été abandonné aux environs de 1940 ; j'ai listé ci-dessous les principales sources de documentation relatives à ce village. Toute erreur serait à imputer à l'auteur.

Le tremblement de terre évoqué dans ce roman a vraiment eu lieu. Il est survenu en 1963, et les secousses ont été ressenties dans cette région ainsi qu'à Siglufjördur, par exemple.

Je tiens aussi à préciser que la mention faite par l'un des personnages de ce livre d'éventuels actes malveillants commis par des fantômes s'inspire de reportages effectués par les médias sur les événements survenus en 1964 dans la ferme de Saurar, non loin de Kálfshamarsvík.

Le phare décrit dans ce roman se trouve à Kálfshamarsvík. Dessiné par Axel Sveisson, il a été inauguré en 1942. Je souhaite remercier tout particulièrement Gudmundur Bernódusson, de l'Administration islandaise des routes et des côtes, de m'avoir autorisé l'accès à ce phare, afin que je puisse le décrire avec la plus grande précision.

Je suis aussi très reconnaissant à l'officier de police Eiríkur Rafn Rafnsson et à la procureure Hulda María Stefánsdóttir pour l'aide qu'ils m'ont apportée en vérifiant mon texte, et pour la qualité des informations qu'ils m'ont données sur le fonctionnement de la police.

Dans le troisième chapitre de la seconde partie de ce livre, deux soi-disant extraits du journal tenu par l'arrière-grand-père de Kristín sont en réalité empruntés au journal intime de mon propre arrière-grand-père, Jónas Guðmundsson. Le reste de ce journal n'a aucun rapport avec celui, imaginaire, qu'écrivit l'arrière-grand-père de Kristín, dont la personnalité et le destin sont le fruit de l'imagination de l'auteur.

Comme toujours, il me faut remercier de nombreuses personnes pour leur contribution et leur aide, et en premier lieu mes parents, Jónas Ragnarsson et Katrín Guðjonsdóttir, et mon frère, Tómas Jónasson (à qui ce livre est dédié), pour leur soutien et leurs encouragements permanents.

J'adresse aussi mes remerciements à mes lecteurs français, qui sont toujours plus nombreux à suivre les enquêtes de Siglufjördur. Je suis très reconnaissant de l'accueil chaleureux qu'ils m'ont réservé à Quais du Polar à Lyon et partout ailleurs en France. Je leur réserve une surprise pour très bientôt…

J'aimerais également remercier mes éditrices françaises, Marie Leroy et Jeanne Pois-Fournier, et toute l'équipe des Éditions de La Martinière, mon agent, Monica Gram, de la Copenhagen Literary Agency, et David Headley de la DHH Literary Agency, ainsi que mes éditeurs islandais, Pétur Már Ólafsson et Bjarni Þorsteinsson.

Pour finir, je remercie chaleureusement ma femme María et mes filles, Kira et Natalía.

Ragnar Jónasson

Merci d'avoir choisi ce livre
des **Éditions de La Martinière**.

Nous espérons que votre lecture vous a plu.

Vous pouvez nous retrouver sur Facebook et Instagram.
Et pour être informé (e) en avant-première des prochaines parutions de l'auteur, recevoir d'autres idées de livres à découvrir, des jeux-concours ou des extraits en avant-première, vous pouvez nous laisser votre adresse e-mail sur cette adresse web : bit.ly/martiniere

En espérant vous retrouver bientôt en compagnie d'autres personnages, pour partager leur vie et leur univers.

L'équipe des Éditions de La Martinière Littérature

Retrouvez tous les ouvrages et les actualités
de Ragnar Jónasson sur le site www.ragnarjonasson.fr
Vous pouvez également contacter directement
l'auteur sur Twitter @ragnarjo

RÉALISATION : NORD COMPO À VILLENEUVE-D'ASCQ
IMPRESSION : NORMANDIE ROTO IMPRESSION S.A.S À LONRAI
DÉPÔT LÉGAL : OCTOBRE 2019. N° 140080 (1903277)
IMPRIMÉ EN FRANCE